萌える! 天使事典 INDEX

ユダヤ、キリスト教の天使
Angel of Judaism & Christianity

ラジエル	52
にがよもぎ	54
ケルビエル	56
ケムエル	58
ライラ	60
アダメル&ヘルメシエル	62
ヴィクター	64
クシエル&アナフィエル	66
ハドラニエル&ナサルギエル&ザグザゲル	68
スリア	70
ラドゥエリエル	72
ドゥビエル	74
ベツレヘムの星	76

四大天使
Four Archangels

ミカエル	16
ガブリエル	20
ラファエル	24
ウリエル	28

御前の七天使
Seven Angels of Presence

メタトロン	32
サンダルフォン	36
レミエル	40
ラグエル	42
サリエル	44
ザドキエル	46
ハニエル	48

グノーシス主義の天使
Angel of Gnosticism

ソフィア&デミウルゴス	82
サマエル	86
メルキゼデク	88

イスラム教の天使
Angel of Islam

- イズラーイール……………… 92
- イズラーフィール…………… 96
- イーサー……………………… 98
- マーリク……………………… 100
- ムンカル＆ナキール………… 102

近代の天使
Angel of Modern Age

- モンスの天使………………… 124
- アブディエル………………… 128
- アサリア……………………… 130
- モロナイ……………………… 132
- ベアトリーチェ……………… 134
- ハラリエル…………………… 136
- じゅすへる…………………… 138
- エイワス……………………… 140
- カンヘル……………………… 142

ゾロアスター教の天使
Ahuras of Zoroastrianism

- スプンタ・マンユ…………… 106
- ウォフ・マナフ……………… 108
- アナーヒター＆アシ………… 110
- ミスラ………………………… 112
- ハオマ………………………… 116
- ティシュトリヤ……………… 118
- スラオシャ…………………… 120

もっとくわしく！ 天使資料館

- ガブリエル様の死ぬ気で学べ！ 天使教室 …… 146
- 天使の九階級………………… 148
- 「天国」と「地獄」ガイドブック … 158
- 聖書　〜 Holy Bible 〜 …… 169
- アブラハムの宗教 +1 ……… 185

column

- セフィロトと天使……………………… 23
- もうひとりの四大天使「ファヌエル」… 27
- 七大天使小事典………………………… 39
- 天使のパンをめしあがれ!…………… 50
- グノーシス主義の小事典……………… 85
- イスラム教の天使小事典…………… 104
- ゾロアスター教の天使小事典……… 127
- その他の天使の小事典……………… 144
- キリスト教の宗派いろいろ………… 168

案内役のご紹介!

読者のみなさんを、天使の世界にご招待する、3人の案内役をご紹介!

なーハニャ天、メシアちゃんは勉強なんかしたくないって言ってるぜー。
したくない子をむりやり勉強させるなんて、
良い子の天使としては問題あるんじゃねーかー?

ぐぬぬぬ……ちょっとメシアちゃん様が悪い子になったからって、
勝ったつもりだとしたら大間違いなのですよ! ……メシアちゃん様!
ちゃーんと勉強してくれたら、神様御用達の甘〜いスイーツをごちそうするですよ!

うーん、おべんきょうめんどくさいのだー。
でも神様のおかしもきになるのだ……
……ちょっとだけべんきょーするのだ。

ああっ、神様懺悔するのです!
ハニエルは愚かにも、メシアちゃんを物でつってお勉強をさせようとしています
……なにとぞお許しくださいぃ!

またおべんきょーとか
めんどくさいのだー。
うーん、おやつたっぷりくれたら、
ちょっとだけなら
おべんきょーしてもいいけど……
めんどくなったら、
にーげるーのだー♪

メシア

　イエス・キリストの誕生以来2000年ぶりに「ベツレヘムの星」が輝いた日、この世に生を受けた女の子。イエス・キリストの生まれ変わりで、未来の「救世主」である。元気でお気楽かつ勉強嫌い。本来はやんちゃで純真な性格だったが、地獄のお菓子の魅力に負け、晩ご飯のあとにおやつを食べ、夜10時まで夜更かしをする極悪人になってしまった。

> なんとかメシアちゃん様を
> 机に座らせることができました。
> さっそく神様御用達の
> プレミアムお菓子を確保しないと……
> ええっ!? こんなにお高いのですか!?
> こ、今月のおこづかいが
> 吹っ飛んでしまったのです……

ハニエル（ハニャエル）

愛の大天使「ハニエル」を襲名したばかりの女の子天使。基本的に弱っ子で優しい性格。グレムとは下積み時代に一緒に勉強した仲で「ハニャ天」と呼ばれている。グレムのことは、悪魔だけど大事な友達だと思っている……らしい。

> むー、ハニャ天のやつも
> お菓子でつってくるとは油断してたぜ。
> とにかくメシアちゃんにくっついて、
> 光の世界に誘惑されないよーに、
> しっかり見張るっきゃねーな。よっし、がんばろー!

グレモリー（グレム）

姉である先代グレモリー様から金の冠を引き継いでグレモリーを襲名した悪魔っ子。男の子っぽい口調のせいでがさつな性格に見えるが、本人は意外と勉強熱心。見事な作戦でメシアを悪の道に引き込み、闇のメシアにするべく奮闘中。

ゲストのご紹介!

上で紹介した3人のほかにも、以下のキャラクターがゲストとして参加します!

ガブリエル
ハニャエルの下積み時代の上司で、四大天使のひとり。スパルタ&腹黒。

楽太郎
地獄の公爵グレモリー家に代々仕えているラクダ。オネエ言葉でしゃべる。

アスタロト
グレムの元主人で大悪魔。気さくな性格で、悪魔のいろいろを教えてくれる。

はじめに

"神は「光あれ」と言われた。すると光があった。"

　これは、キリスト教の天地創造の物語『創世記』の一節です。神は7日間かけて世界を創りましたが、一日目に天と地、光と闇を生み出しました。天使は、神が生み出した光とともに産まれたと信じられています。

　こうして産まれた天使は、キリスト教の普及とともに世界中に広まり、いまではキリスト教を信仰しない人にも知られる存在となりました。あるときは慈愛に満ちた母のように、あるときは厳格な父のように人間を見守る天使たちは、人々のあこがれの的になっています。

　この「萌える! 天使事典」は、美しく気高い天使のことを知りたい人のための事典です。

　カラーページでは、われわれがよく知る天使を生み出した、キリスト教やユダヤ教の天使を中心に、48組55体の天使をイラスト付きで紹介。モノクロページの「もっとくわしく! 天使資料館」には、天使の階級、聖書、天国と地獄、天使を擁する宗教の紹介など、天使を知るための基礎知識がすべて詰まっています。

　「萌える! 天使事典」を最後まで読めば、天使についての基本となる知識を、楽しくわかりやすく知ることができます。ぜひこの本を入り口にして、奥深くおもしろい天使の世界に踏み込んでください!

天使のイラストについて

　キリスト教やユダヤ教で信じられている天使は、たいてい性別を明記せず、中世的な外見だと設定されています。ですがこの本では「萌える! シリーズ」のコンセプトにのっとり、すべての天使を女の子としてイラスト化しました。

　天使のデザインは、文献や伝承に登場する天使の外見的特徴や、天使の守護するもの、活躍ぶりなどを参考に、担当イラストレーター独自の解釈を加えて描かれたものです。天使たちの新しい魅力をお楽しみください。

凡例と注意点

凡例
　本文内で特殊なカッコが使われている場合、以下のような意味を持ちます。
・『　』……原典となっている資料の名前
・〈　〉……原典を解説している資料の名前
　ただし『旧約聖書』と『新約聖書』は、括弧の重複で読みにくくなりやすいため、原典資料名ではありますが『　』で囲まずに書く場合があります。

天使や人物の固有名詞について
　固有名詞について複数の表記法がある場合、もっとも有名で通りのよい表記法を使用します。そのため天使や人物などが、みなさんの知っている名前とは別の表記法で紹介されていることがあります。

この本の読み方

この本では、48組の偉大な天使のみなさんを紹介するのですよ。一番上の見出しにみなさんのプロフィールが書いてありますから読んでみてくださいね。データの読み方はこんな感じなのです!

データ欄の見かた

悪魔退治は天使長におまかせ!
ミカエル
英字表記:Michael 名前の意味:神に似た者 別名:ミシェル、ミハエル、サバティエル、ミーカール
出典:旧約聖書『ダニエル書』、新約聖書『ヨハネの黙示録』など

天使の名前

天使データ

天使の特徴を説明する各種データです。それぞれの意味は以下のとおりです。

英字表記:天使の名前をアルファベット表記したときの代表的な表記です。
名前の意味:天使の名前を日本語に翻訳したときの意味です。
別名:天使の名前や、名前の日本語表記が複数ある場合、そのうち代表的なものが書かれています。
種別:その宗教における天使的存在に複数の種類がある場合、天使の種別を紹介します。
出典:天使が登場する代表的な原典資料です。

なんか天使さんの名前、みーんな「神のなんちゃら」って意味だって書いてあるのだ。なんでなのだー? みんないっしょだからへんなかんじなのだー。

天使の名前によく含まれている「エル」という部分が、神様という意味なんですよ。われわれ天使は、みんな神様のしもべですから、名前に神様という言葉を入れるんですね〜。

あー、そういえば堕天使の先輩たちも「エル」ってついてる人が多かったなあ。あれは天使だったころの名前をそのまんま使ってるのかー。

10ページからは、キリスト教の天使の基本を徹底紹介!

ゼロからわかる！ 天使ゼミナール

うう、性悪っ子になっちゃったメシアちゃん様を善の道へ戻すには、悔しいですけど自分では力不足なのです。というわけで、もっとえらくてすごい天使様に先生をお願いすることにしましたですよ！

大天使ハニエルの名前を継いだのですから、導き手の役目くらいはひとりでできるようになってほしいのですが……相手がメシア様とあれば仕方がありませんね。しっかり光の道へ戻して見せましょう。

大天使ガブリエル

神に仕える天使のなかで、もっとも偉大といわれる「四大天使」の一角を占める偉い大天使様。ハニャエルを一人前の天使に育てあげたお師匠様であり、たいへん厳しいスパルタ教育の使い手。

天使ってどんな存在？

天使とは、神に作られた霊的な存在です。その役目は神と人間の間を仲介することで、人類をはじめとする宇宙の万物に奉仕するために作られました。

天使の役割

・神の言葉を伝える
・祈りを神に届ける
・人間にひらめきを与える
・世界を神の意志で作り替える
・人間を善に導く
・悪魔と戦う

天使は英語で「Angel（エンジェル）」ですけど、もともとは「Malak（マラク）」って呼ばれてました。ヘブライ語で〝使者〟って意味ですね。これをギリシャ語に翻訳した「Angelos（アンゲロス。使者）」が、エンジェルの語源なのです。

天使をつくった唯一神〝ヤハウェ〟

右の似姿をご覧なさい、こちらが我ら天使を創造なさった全知全能の唯一神、ヤハウェ様です。本来は人間が神のお姿を見ることは許されませんが、メシア候補の特例として大目に見ましょう。ちなみにヤハウェという名前は、天使を信じる３つの宗教のうち「ユダヤ教」と「キリスト教」で使われます。イスラム教徒は我らが神のことを「アッラー」と呼んでいますよ。

天使の特徴を教えて!

神に作られた私たち「天使」が、どのような外見で、どのような力を持っているのかを説明しましょう。……ああ、ここで説明するのは「キリスト教の天使」ですから注意してくださいね。

天使にはふたつの種類がある

キリスト教の天国には、わたしたち以外にもたくさん天使がいるんですよ〜。メシアちゃん様? 天使がどのような外見をしているか知っていますか?

え? 天使さんたちみたいに、はねがはえた女のひとじゃないの?

たしかに天使の多くは人間に近い姿をしていますね。ですが、人間とはかけはなれた姿の天使も多いのですよ。
例えば天国には、下のような姿の天使がいるのです。

天使の2パターンの外見

人間型の天使
中性的な人間の姿の天使です。背中の羽は、生えていることも生えていないこともあります。

異形の天使
人間とはかけはなれた姿の天使です。獣のような外見、幾何学的な外見をした者などがいます。

右側の、モンスターっぽい天使は「ケルビム」っていって、「エデンの園」っていう楽園を警備している天使なんだぜ。神様の楽園に、こんな悪魔みたいな外見の天使がいるなんてびっくりだよな!

人間型の天使には、こんなものがついている

宗教画などに描かれる人間型の天使は、だいたい下のような姿をしていますね。私やハニエルの姿も、これに準じたものですよ。

基本的な天使の外見

光の輪

多くの場合、天使の頭部には光の輪か円盤が描かれます。これは天使だけに描かれるものではなく、神聖なものをあらわす汎用的表現です。

2枚以上の翼

天使の背中には2枚組の翼が何対か生えています。ただし初期キリスト教で描かれた天使には、翼がない者も多くありました。

性別

天使には性別がありません。外見的には、多くの宗教画で中性的な外見で描かれますが、明確に男性や女性として描く場合もあります。

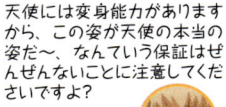

天使には変身能力がありますから、この姿が天使の本当の姿だ〜、なんていう保証はぜんぜんないことに注意してくださいですよ？

天使にはどんな力があるの？

天使とは、神の代理人として地上に降り立ち、力を行使する存在です。そのため天使は神の命令に応じて、さまざまな現象を引き起こします。

ただし天使は霊的な肉体しか持たないため、人間に対して物質的な干渉を行うことができません。聖書には、人間の姿に変身した天使が人間に触ったり、人間の食事を食べている場面が描かれていますが、これらの場面は、天使の能力で見せられた幻覚に過ぎないのです。

聖書に書かれた天使の能力

『旧約聖書』や『新約聖書』で、天使が行使した能力をまとめました。

- すぐれた知恵
- 人間の姿への変身
- 火、稲妻、閃光への変身
- 瞬間移動
- テレパシー
- 天候操作
- 病気や怪我の治療

じつは天使の能力って、悪魔の能力とよく似てたりするんだよな、物質的な肉体がないのも一緒だしさ。ま、そもそも悪魔ってのは、天使が悪に染まったもんだから、似てるのは当たり前なんだけどなー。

どんな天使を紹介するの?

 この本では、私ガブリエルやここにいるハニエルのように、キリスト教やユダヤ教の信仰に登場する天使のほかにも、以下に挙げるような者を「天使」として紹介していますよ。

キリスト教、ユダヤ教の天使

本書で紹介する天使のほとんどは、キリスト教や、その母体となった「ユダヤ教」の宗教文献で、天使として紹介されたものです。

 私やガブリエル様も、キリスト教とユダヤ教の天使の一員ですよ〜!

ラグエル

キリスト教、ユダヤ教以外の天使

キリスト教とユダヤ教以外からは、キリスト教の天使観と関係が深い、以下のような宗教に登場する天使を紹介します。

イスラム教の天使

ユダヤ教とキリスト教を母体にして生まれた「イスラム教」では、ユダヤ教の天使が名前をアラブ読みに変えて登場したり、イスラム教独自の天使が設定されています。

イスラーフィール

ゾロアスター教の天使

中東のペルシア地方(現在のイラン)で生まれた古代宗教です。ユダヤ教が天使という存在を生み出すにあたって、ゾロアスター教の天使観が大きな影響を与えたといわれています。

ハオマ

異端宗派の天使

グノーシス主義(→p79)をはじめとするキリスト教の異端宗派には、正統な教義とは違う独自の天使を持っていたり、名前は同じでも、特徴がまったく違う天使を持つものがあります。

デミウルゴス

 ガブリエル様、ありがとうございましたです! ここからはあらためて愛の大天使ハニエルが、多士済々の天使のみなさまをご紹介していくのですよ。さざ、まずは天国に行ってみましょー!

四大天使
Four Archangels

キリスト教徒は、数多く存在する天使たちのなかでも
特に偉大だとされる４名の大天使のことを、
俗に「四大天使」と呼んで尊敬しています。
四大天使の内訳は、
ミカエル、ガブリエル、ラファエル、ウリエルの４名です。

illustrated by きつね長官

ミカエル

四大天使

悪魔退治は天使長におまかせ！
ミカエル
英字表記：Michael　名前の意味：神に似たる者　別名：ミシェル、ミハエル、サバティエル、ミーカール
出典：旧約聖書『ダニエル書』、新約聖書『ヨハネの黙示録』など

天使を指揮する"天使長"

　キリスト教やユダヤ教の宗教文献に登場する無数の天使のなかでもっとも偉大なのは、ミカエルという天使だといわれている。ミカエルはキリスト教の最大宗派カトリック教会で「天使長」と呼ばれるほか、キリスト教の信者が俗に呼ぶ「四大天使」、神と直接会うことを許された「御前の七天使」の一員でもある。

　キリスト教の宗教画に描かれるミカエルは、光り輝く武具を身につけ、右手に剣、左手に天秤を持った姿で描かれることが多い。剣は悪魔と戦う戦士としての能力をあらわし、天秤は死者の案内人として、善良な魂と悪しき魂をより分けるために使うものだ。そのほかにもミカエルには疫病を追い払う癒しの力、天使の軍勢の総指揮官、高潔さと公正の守護者など多くの能力と役割がある。またカトリック教会では、ミカエルは騎士、食料と雑貨の商人、ブリキ職人と織物職人、船乗り、警察官、病人などを保護する守護天使（後述）とされている。

聖書のなかのミカエル

　キリスト教の聖典である『旧約聖書』と『新約聖書』には、名前を持つ天使は3人しか登場しない。そのひとりがミカエルだ。彼がもっとも重大な役割を果たしているのは、世界の終末を預言した、新約聖書『ヨハネの黙示録』である。この文献でミカエルは、天使軍団の総指揮官として登場し、「7つの頭を持つ巨大な赤い竜」の姿を取った悪魔の首領サタンと戦って勝利している。この物語はよくヨーロッパの宗教画の題材となり、上で説明したように剣と天秤を持ち、赤いドラゴンを踏みつけるミカエルの姿が描かれる。

悪魔の姿のサタンを踏みつけるミカエル。15世紀オランダの画家、ジョゼ・リフェレンクセの作品。

　ユダヤ人の預言者ダニエルの生涯を描いた、旧約聖書『ダニエル書』では、ミカエルはユダヤ人の守護天使（支配者）に任命されている。旧約聖書の外典（→p184）である『エチオピア語エノク書』によれば、ミカエルと同じように国家の守護天使に任命された天使は70名いるという。この「民族の守護天使」に関するユダヤ人の伝承によれば、民族の守護天使のほとんどは堕落して堕天使になってしまった。唯一ミカエルだけが神の意志を守り、彼に守られたユダヤ人だけが神に導かれた民族に

なったのだという。
　また、聖書に天使が登場する場合、個人名が呼ばれることは少ない。伝統的に、聖書に「ヤハウェの天使」「主の御使い」のような呼び名で天使が登場する場合、その天使はミカエルだと考えられている。

世界に広がるミカエル人気

　ミカエルは、現在のイラク南部にあった「カルデア（バビロニア）」で信仰されていた神が、ユダヤ教に取り込まれて天使になったものだと考えられている。天使ミカエルはユダヤ教やキリスト教の信者から圧倒的な人気を集め、ミカエルに捧げる教会や都市が世界中に造られ、その名前は西洋で代表的な人名になった。英語のマイケル、フランス語のミシェル、ドイツ語のミハエルという名前は、ミカエルの各国語読みなのだ。

フランスのモン・サン・ミシェル修道院。かつては潮が引いたときだけ修道院への道ができるという神秘的な地形だったが、現在は道路が整備されている。

　ミカエルに捧げられた教会のなかで特に有名なのが、フランスの世界遺産「モン・サン・ミシェル」である。フランス北西部の海岸に浮かぶ、幅1km、高さ24mの巨大な岩山に築かれたこの教会は、西暦708年にある司教が、夢の中でミカエルから命令を受けて礼拝堂を建てたのがはじまりで、徐々に増築されて現在の姿になったものだ。
　東ヨーロッパに多くの信者を持つキリスト教の宗派「東方正教会」では、ミカエルの医師としての力に注目する。彼らは6世紀末にローマを襲った疫病「ペスト」を一掃したのはミカエルだと教えている。また、トルコ南西部にあった「コロサイ」という街には、ミカエルが作ったという薬泉があり、この泉の水を浴びて、神とイエスと聖霊、そしてミカエルに祈れば、どんな傷でも癒されたという。

イスラム教のミカエル「ミーカール」

　ミカエルは、イスラム教では「ミーカール」という名前で呼ばれている。キリスト教のときと同じように、イスラム教の四大天使の一員であり、どんなにおもしろい話にもまったく笑うことがない厳格な天使とされている。
　イスラム教初期の伝承によれば、ミーカールの外見は翼はエメラルドのような緑色で、サフラン色（黄金色）の髪の毛には一本一本に100万の顔と口がついていて、アッラー（神）に100万の言葉で許しを請うという。ミーカールが、信心深い者が犯した罪のために涙を流すとき、その涙はケルビム（→p150）という天使に変わると信じられていた。

ミカエル様は、よく山のてっぺんとか岩山に来て、癒しの泉を湧かせたり、奇跡を起こしたりされてますね。モン・サン・ミシェルも海辺の岩山ですし……アウトドア派なんでしょーか？

illustrated by ぱるたる

天界の敏腕メッセンジャー
ガブリエル

英字表記:Gabriel　名前の意味:神は我が力、神の英雄　別名:ジブリール
出典:旧約聖書『ダニエル書』、新約聖書『ルカによる福音書』など

神のお告げを知らせる天使

　キリスト教徒から四大天使の一角として尊敬を集める大天使ガブリエル。この天使は、神の意志を人間に伝える、伝令と天啓の天使である。

　キリスト教の聖典である新約聖書の『ルカによる福音書』などで、ガブリエルはキリスト教という宗教の根幹につながる重大な役割を果たした。キリスト教の信仰対象であるイエス・キリストは、のちに聖母マリアと呼ばれることになる女性から産まれたのだが、彼女は男性との性行為経験のない処女であり、神の力によって処女のままイエスを身ごもった。この事実をマリアまたはその婚約者ヨセフに告げたのが、大天使ガブリエルなのだ。このときガブリエ

マリアに受胎告知をするガブリエル（右）。16世紀イタリアの画家ベルナルド・ストロッツィの作品。

ルがマリアに挨拶した言葉「おめでとう、恵まれた方。主があなたとともにおられる。女たちのなかの祝福された者よ」は、聖母マリアをたたえる祈祷文『アヴェ・マリア』でも繰り返され、多くのキリスト教徒が知る重要な言葉だ。

　聖母マリアに処女のままでの妊娠を告げたことから、ガブリエルは女性の「純潔」を守護する天使となり、同時に妊娠と出産を守護する天使と考えられるようになった。さらに彼女は、知恵、慈悲、贖罪、約束などを守護する天使でもある。また現在では、ガブリエルは電話技師、ラジオのキャスター、郵便局員、外交官などの守護聖人となっている。これはガブリエルの「伝令の天使」という特徴に期待して、1951年、カトリック教皇のピウス12世に公認されたものだ。

　ガブリエルの外見は聖書には明言されていない。後世の宗教画では、黄金の翼を持っている、剣と天秤を持つなどの姿が一般的だが、かならずと言っていいほど「白百合の花」と一緒に描かれる。ヨーロッパでは、白百合の花は、汚れ無き女性の子宮をあらわす「純潔」の象徴だからだ。

ガブリエルは女性の天使か？

　キリスト教の正式な教義では、天使は性別を持たないことになっている。しかし一般的に、ガブリエルという天使は女性だと理解されることが多い。実際にマリアの処女受胎を知らせる「受胎告知」の場面をテーマにした宗教画では、ガブリエルは女性的な姿で描かれることが多いのだ。

現代の天使研究家マルコム・ゴドウィンによれば、ガブリエルが女性の天使と解釈される理由のひとつが旧約聖書の外典『エチオピア語エノク書』にある。この文献でガブリエルは「神の左に座する」と書かれているのだが、『エチオピア語エノク書』が書かれた紀元前1～2世紀ごろのユダヤ人の風習では、家長の左に座るのは女性と決められていた。そのためこの記述から、ガブリエルが女性の天使だと読み取れるというのだ。

神の命令に逆らったガブリエル

ガブリエルは、天使のなかでも特に優しい性格で知られ、その優しさが原因で神に逆らってしまったことがある。

ユダヤ人の伝説によると、イスラエルのユダヤ人が神との契約を破ったことに怒った神は、イスラエルの守護天使だったガブリエルに、燃える石炭でイスラエルを焼き尽くすように命じた。ところが優しいガブリエルは、燃える石炭を運ぶ馬車の運転手に、わざとのろまな天使を選び、石炭が届かないようにした。これが神の怒りに触れ、ガブリエルは一時天界から追放されている。（→ p74）

イスラム教のガブリエル「ジブリール」

ガブリエルは、イスラム教徒には「ジブリール」あるいは「ジャブライール」と呼ばれている。イスラム教の聖典『クルアーン』によれば、ジブリールは140枚という大量の翼を持つ天使だという。またアラブの伝承では、イスラム教の創始者である預言者ムハンマドは、ジブリールの真の姿を目撃したことがあるという。その姿は600枚の翼を持ち、空をすっぽりと覆う巨大な姿だった。

キリスト教やユダヤ教では、大天使ミカエル（→ p16）こそがもっとも偉大な天使だと考えられることが多いが、イスラム教ではもっぱら、ミーカール（ミカエルのアラブ名）よりもジブリールこそがもっとも偉大な天使と信じられている。それはジブリールが、イスラム教の開祖ムハンマドに、聖典『クルアーン』の内容を伝え聞かせた天使だからだ。

また、イスラム教の聖地メッカには「カアバ神殿」という小さな神殿があり、中にはただひとつ「カアバの黒石」だけが収められている。方舟伝説で知られる大洪水で行方不明になっていたこの黒石の位置を、ムハンマドに教えたのもジブリールだとされている。

カアバの黒石は、信者がこの石を通して神への信仰を表現するという重要なもので、イスラム教の戒律として有名な1日5回の礼拝は、この黒石のある場所に向かって行われているのだ。メッカに巡礼した者はこの石に7回キスすることになっていたため、石がすり減ってしまい、現在では保護のための覆いがかけられている。

マリアさんが妊娠したときに、「おなかの子供の名前はイエスですよー」って教えたのって、ガブリエルなんだってな。じゃあガブリエルは、イエスの名付け親みたいなもんなのか？

セフィロトと天使

おー、天使さん、これなんなのだ？
なんかちょっとかっこいいカタチなのだ

いいものに目をつけましたね、さすがは光のメシア様！
この図形は「セフィロト」といって、アダムさんが実を食べた「知恵の樹」
とコンビになる「生命の樹」をあらわしたものですよ。

　セフィロトとは、旧約聖書『創世記』で、最初の人間アダムとエヴァが暮らしていた「エデンの園」に生えている神聖な樹「生命の樹」のヘブライ語読みだ。
　ユダヤ教を土台に世界の仕組みを研究する学問『カバラ』では、この生命の樹を右図のような図形として描いている。この図は、神の偉大な力が流れ出て、地上を満たす過程を描いたものである。

セフィラと天使

　セフィロトは、10個の「セフィラ」という領域を、22本の「パス」という経路でつないだ構造になっている。カバラでは、各セフィラに対応する天体、色、人体の部位などを設定しており、各セフィラを守護する天使が以下のように定められている。

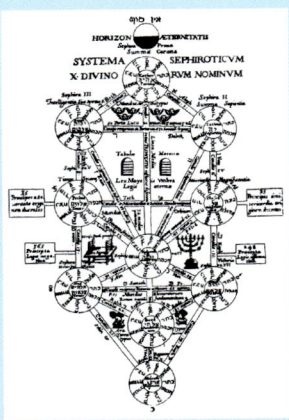

17世紀ドイツの学者アタナシウス・キルヒャーが描いたセフィロトの図。10個の二重円がセフィラ、それらをつなぐ線がパスである。

セフィロトのセフィラの意味と、対応する天使

番号	位置	名前	天使	意味	人体	天体	色
1	上	ケテル	メタトロン	王冠	頭	第10天	白
2	右上	コクマー	ラジエル	知恵	脳	黄道帯	灰
3	左上	ビナー	ザフキエル	理解	心臓	土星	黒
4	右	ケセド	ザドキエル	自賛	右腕	木星	青
5	左	ゲブラー	カマエル	峻厳	左腕	火星	赤
6	中央上	ティファレト	ラファエル	美	胸	太陽	黄
7	右下	ネツァク	ハニエル	勝利	右足	金星	緑
8	左下	ホド	ミカエル	栄光	左足	水星	橙
9	中央下	イェソド	ガブリエル	基礎	生殖器	月	紫
10	下	マルクト	サンダルフォン	王国	全身	地球	4色

四大天使

イタイのイタイの飛んでいけっ♪
ラファエル

英字表記：Raphael　名前の意味：神の薬　別名：ラビエル
出典：旧約聖書『トビト記』など

人類を見守る癒しの天使

　ラファエルは、キリスト教カトリック派の教義において「天使たちのなかで最良の友」と教えられる、人間にとって非常に身近で親しみやすい天使である。彼の名前に含まれる「rapha」という言葉は、ユダヤ人の話すヘブライ語で「医者」という意味がある。その名のとおりラファエルは、人間のあらゆる病気と怪我を治療する癒しの天使なのだ。さらにラファエルは、人間たちの生活の基盤となる大地を癒す役目も与えられているため、人間が幸福に暮らせるかどうかはラファエルの働きにかかっているのである。

　ラファエルの癒しの力は、ユダヤ教徒の伝承や、聖書外典の物語などさまざまな場面で発揮されている。預言者アブラハム（→p178）が割礼の儀式（陰茎包皮を切り取る手術）を行っ

『トビト記』の場面を描いた油絵。15世紀イタリアの画家、アンドレア・デル・ベロッキオ画。

たときにその痛みをやわらげたり、アブラハムの子孫ヤコブが天使と格闘してふとももを痛めたとき、その傷を癒した話が有名だ。

　癒しの力のほかには、旧約聖書『トビト記』の物語を根拠に、旅人を守る天使ともされている。そのほかにも死者の霊魂の案内役、悪魔払いの天使、子供たちを教育する天使と呼ばれるほか、エデンの園に生えていて、アダムとエヴァがその実を食べてしまった「生命の樹」を守る天使とされることもある。

　天使としてのラファエルの姿は明確に定義されていないが、西欧で医術の象徴とされてきた動物「蛇」がラファエルに関連づけられている。また、旧約聖書『トビト記』の場面を題材にした絵画では、物語の内容にあわせて、手に巡礼者の杖を持って、魚もしくは水筒をぶらさげた旅人の姿で描かれる。

『トビト記』のラファエル

　数百名いるキリスト教の天使のなかで、正式な聖書「聖書正典」に登場する者はわずかに2～3名しかない。2～3名と幅を持たせた表記になっているのは、同じキリスト教でも、宗派が違えば（→p168）、どの文献を聖書の正典とみなすかに意

四大天使

見の違いがあるからだ。ラファエルが活躍する文献『トビト記』は、キリスト教のカトリック教会が「聖書正典」としているものの、プロテスタントや正教会などの宗派では聖書の正典に含まれていない。そのためラファエルは、カトリックだけに存在を公認された天使なのである。

ラファエルが登場する『トビト記』は、盲目のユダヤ人男性トビトの受難と、その息子トビアの旅を描いた物語だ。ラファエルはアザリエルという偽名を名乗って人間の姿で登場し、トビアの旅の道連れとしてさまざまな助言をする。大きな魚から内臓を取り出させ、魚の心臓をいぶした煙で悪魔アスモデウスを追い払ったり、魚の肝を父親トビトの目に塗って視力を取り戻させるなど、ラファエルはトビアをさまざまな奇跡に導くが、トビアもトビトも、ラファエルがみずから天使だと明かすまで、その正体にまったく気がつかなかったという。

後世、ラファエルが旅人の守護者、子供の教育者、悪魔払いの天使と呼ばれるのは、すべてこの『トビト記』での活躍ぶりから連想されたものである。

『トビト記』の別の解釈

キリスト教の神学者たちは、『トビト記』で描かれたラファエルとトビア少年の旅を、地上の旅ではなく、死者の魂の旅を描いたものだと解釈している。つまりラファエルは死後の魂の導き手だというわけだ。キリスト教の異端であるグノーシス主義（→p80）の一派「オフィス派」の神話では、この「死後の世界の導き手」という特徴を別視点から解釈し、ラファエルを野獣の姿の悪魔として描いている。

『失楽園』のラファエル

癒しの天使にして子供たちの教師という特徴から、ラファエルを学校の保健の先生のようにイメージする人もいるかもしれない。実はラファエルは、ある作品で実際に保健体育の授業のようなことをしたことがある。

17世紀イギリスの詩人ジョン・ミルトンが、旧約聖書の『創世記』をテーマに、天界と地獄の戦いを描いた小説『失楽園』で、ラファエルは最初の人類アダムとエヴァの教師役をつとめている。ふたりがラファエルと一緒に食事をとっているとき、アダムがラファエルにきわどい質問を投げかけた。アダムは天使が男性ばかりであることを指摘し、「天使はどうやってセックスをするのか」とラファエルを問い詰めたのだ。あまりの恥ずかしさに、ラファエルは顔を真っ赤にしてしまった。

ラファエルが教えるところによれば、天使はたしかにセックスをするが、それは人間のような肉体的な交わりではないのだという。そもそも天使は肉体も性別も持たないので、彼らにとってのセックスとは、快楽を求めたり子孫を残すためのものではなく、両者の精神的つながりを深めたり、ふたつの愛を結びつけるために行うのだという。

ガブリエルは癒しの天使ってことで優しい性格だと思うだろうけど、『エノク書』じゃ、神に反乱したアザゼル様をぶったおして縛り付けてるコワーイ戦士だよ。まあ優しい人ほど怒らせると怖いっていうしな〜。

もうひとりの四大天使「ファヌエル」

ここで大天使ハニエルから重大発表なのです！
じつは、キリスト教の四大天使は5人いるのです！

な、なんだってー！？

え、四大なのに5人？　どういうことなのだ？
わけわかんないのだー！

　一般的に、キリスト教のカトリック教会の信者たちは、ミカエル、ガブリエル、ラファエル、ウリエルの4名が、天使のなかでもっとも偉大な存在「四大天使」だと考えている。だがユダヤ教の宗教文献のひとつ『エチオピア語エノク書』には、これとは違った内容の四大天使が紹介されている。そのリストでは、ミカエル、ガブリエル、ラファエルまでは同じなのだが、ウリエルのかわりに「ファヌエル」という天使が加わっているのだ。
　ファヌエルは『エチオピア語エノク書』の記述によれば、水晶の館に住む天使で、悪魔が神の前に乗り込んでこないように見張る役目を持っているという。また「最後の審判」の日には、悪魔アザゼルとそれに付きしたがう者たちを捕らえて燃えさかる釜に投げ込み、その審判を神にゆだねるという。また、『シビュラの託宣』という文献では、ファヌエルは「人間たちが書く邪悪な言葉を知る天使」のひとりである。そのためファヌエルの力で悪魔をしりぞける呪文がユダヤ人のあいだで知られている。
　ちなみにファヌエルという名前は「神の顔」という意味で、旧約聖書『創世記』にある「ヤコブという人物が神の使いと格闘した」場所の名前だ。ヤコブは「神の使いと対面して戦った場所」という意味で、この場所をファヌエルと名付けた。この名前が『エチオピア語エノク書』などで天使の名前として使われたのだ。

……というわけで、べつに5人同時に存在してるってわけじゃないのですよ。
ウリエル様のかわりにファヌエル様が入ることもある、って感じですね。

はう～、びっくりしたのだー……
かずがわかんない子になっちゃったかと思ったのだー。

言われてみりゃ、四大天使ってわりとテキトーなもんだったっけ。聖書にもキリスト教の正式な教義にも、キリスト教の四大天使はこれこれですー、なんて書いてないし。えらい大天使が4人いますよーで終了ってことだな。

四大天使

人に悪魔に七変化 ウリエル

英字表記：Uriel　名前の意味：神の炎、神はわが光　別名：オリベル、ファヌエル、ヤコブ＝イスラエル
出典：新約聖書外典『ペテロの黙示録』など

教え導く炎の天使

キリスト教徒に四大天使と呼ばれる天使4名のなかで、ウリエルはただひとり、聖書の正典に名前が登場しない。だがウリエルは、正典ではない宗教文書「聖書外典、偽典」や、ユダヤの伝承では重視されていて、いくつもの文献に登場し、ほかの四大天使に負けない多彩な能力と役割を与えられている。そして他の四大天使とはまったく違う、異色の経歴の持ち主でもある。

ウリエルの名前は「神の炎」または「神は我が光」という意味を持ち、炎の天使、太陽の天使として知られる。カトリック教会でのウリエルのシンボルマークは、手の中で燃える炎であり、宗教画では炎の剣と本を持った姿で描かれる。

ウリエルの役割は、「天国でもっとも鋭敏な視力を持つ」と称される鋭い視線で世界の異変を見張り、察知した異変や神からのメッセージを「預言」として人間に伝え、与えられた預言の意味を解釈して人間を教え導くことだ。例えば旧約聖書偽典『エチオピア語エノク書』では、ウリエルは天国に昇ったユダヤ人エノクの案内役を務めたり、ノアの方舟の物語で知られる大洪水の到来を、預言者ノアに伝えた天使である。別の旧約聖書偽典『第四エズラ書』では、預言者エズラにいくつかの幻視（→p40）を見せ、その内容をどう解釈すればいいかを直接エズラに教えている。

ウリエルを描いた19世紀のモザイク画。右手に持つ本は、ウリエルが地獄での裁きの天使であると同時に、物事を解釈して伝える天使だという側面を意味している。

中世以降になると、天使を召喚して加護を求める魔術が流行し、ウリエルはほかの四大天使らとともにさかんに召喚対象として名前が挙げられるようになった。魔術におけるウリエルは、洪水を知らせた、地獄の支配者（下参照）というイメージなどから、大地と天変地異に関連する天使と解釈されたり、悪魔と戦う天使とされることが多くなっている。

地獄の天使ウリエル

四大天使のなかで、ウリエルは特に厳しい性格の天使だと解釈されている。これは旧約聖書外典『エチオピア語エノク書』や、新約聖書外典『ペテロの黙示録』などで、ウリエルが地獄の管理者だと設定されている影響が大きい。

『ペテロの黙示録』では、ウリエルは地下世界にある地獄タルタロスの支配者であり、

罪人として送り込まれてきた死者を地獄の業火で焼き尽くし、神に不敬をはたらいた死者は、舌に穴を開けてその身をつり下げ、猛火であぶるという。また『シビュラの託宣』という宗教文献では、ウリエルは世界が滅んですべての死者が復活する「最後の審判」の日に、タルタロスの扉を破壊し、地獄の死者を裁判の席に着かせる責任を与えられているという。

天使ではなくなったウリエル

ウリエルが活躍する文献のなかには、なんとウリエルが天使をやめ、人間になったという、驚くべき記述がある。20世紀前半に活躍したユダヤ人宗教学者ルイズ・ギンズバーグの著書『ユダヤ人の伝説』によれば、1〜4世紀ごろに書かれた『ヨセフの祈り』と呼ばれるユダヤ教の宗教文書に以下のような文が書かれている。

「私は人間たちのなかで暮らすために地上に降り、ヤコブという名でよばれる」

これは『ヨセフの祈り』で、ヤコブというユダヤ人の口から語られたウリエルの発言である。この発言は何を意味しているのか？ ギンズバーグによれば、これはウリエルが天使の地位を捨て、ヤコブという人間になったことを意味しているというのだ。ヤコブとは旧約聖書『創世記』にも登場するユダヤ人の族長で、一晩にわたって天使と格闘し、天使を根負けさせたために「イスラエル（神に勝つ者）」という称号を授かったことで知られる人物だ。

聖書外典などには、徳の高い人物が天使に変わった例ならいくつか存在する（→p32）が、天使が人間になったという例は見られない。ギンズバーグの解釈が正しいなら、ウリエルははじめて人間になった天使ということになる。

ウリエルの元になった預言者

ミカエル（→p16）やガブリエル（→p20）は中東の地方神が天使に変えられた存在だが、ウリエルはとある人間から作られた天使だという説が有力である。その人間とは、旧約聖書『エレミヤ書』に登場する預言者ウリヤである。預言者とは、未来予知をする人間ではなく、神の言葉を聞き、それを他の人間に伝える人だ。

この当時、イスラエルの南部はユダヤ人の王朝「ユダ王国」に支配されていた。王家は周辺国との関係を強化するため、異教の神であるバアル神を信仰し、ヤハウェへの信仰をないがしろにしていたのだ。ウリヤをはじめとする複数の預言者がこのあやまちを指摘し、「神との約束を守らないなら、神は隣国バビロニアの王を"神のしもべ"として派遣し、ユダ王国を滅ぼす」と預言していたのだが、預言の内容に怒った王は、ウリヤを捕らえて殺してしまった。

後世にウリヤが天使とされた理由は定かでないが、相手が王でもひるまず、厳格に神の声を届けたウリヤと、天使ウリエルに共通点が多いのは確かだ。

ウリエルさんは人気がありすぎるもんだから、神様の地位を脅かすってことで、カトリック教会に堕天使認定されちゃったことがあるんだ。何も悪いにとしてないのに悪者扱いなんてひでーよな、これだから神様は。

御前の七天使

Seven Angels of Presence

ユダヤ教やキリスト教では 7 が神聖な数とされていて、
すべての天使のなかでもっとも偉大な天使を 7 名集めて
「御前の七天使」「七大天使」などと呼ぶことがあります。
彼らは神と直接会うことを許された有力な天使たちですが、
どの天使が七天使に含まれるのかは
文献ごとにまったく違います。

illustrated by きつね長官

ラグエル

ヒトから天使に大出世！
メタトロン

英字表記：Metatron　名前の意味：見守る者？　案内者？　玉座の背に仕える者？
別名：ヤホエル、小ヤハウェ　出典：『ヘブライ語エノク書』（6世紀）、聖書解説書『タルムード』など

神にもっとも近い天使

　キリスト教、ユダヤ教ともに、すべての天使のなかでもっとも偉大なのは、大天使ミカエルだというのが一般的な見解だ。しかし一部のユダヤ教文献には、ミカエルより偉大だという天使が登場することがある。メタトロンはユダヤ教の教典『タルムード』などで紹介される天使で、その偉大さゆえに神自身に「小ヤハウェ」、つまり神に準じる存在と呼ばれている。

　メタトロンは旧約聖書の正典、外典、偽典には名前が登場せず、おもに3世紀以降のユダヤ教の宗教文献に登場する、歴史の浅い天使だ。メタトロンを紹介する文献のひとつ『ヘブライ語エノク書（第三エノク書）』では、「小ヤハウェ」以外にも90個以上の異名が紹介されており、その他の文献で語られる異名も含めれば100以上という、天使のなかでもずば抜けて多くの異名があるという。

　『ヘブライ語エノク書』で語られるメタトロンの外見は、世界の広さに匹敵するほどの長身で、左右あわせて72枚の翼を生やし、光り輝く36万5000個の眼球を持つというもの。その肉体は燃えさかる炎であり、光り輝く衣に包まれ、49個の宝玉がついた冠をかぶっている。別の文献によれば、メタトロンの燃え上がる体からは、絶えず新しい天使の軍団が生み出されているという。

記録し、仲介する大天使

　メタトロンに与えられた役割のうち、重要なものは大きく分けてふたつある。

　まずひとつめは、世界を維持し、神と人をつなげることだ。ユダヤ人が神に祈りを捧げるとき、その祈りはメタトロンが受け取って神に届けられる。メタトロンには神の玉座をおおう幕の中に入って、人間の祈りを報告する権利が与えられており、そのため神と直接顔をあわせる特権を与えられた大天使「御前の七天使」のひとりに数えられることがある。

　もうひとつの役割は「記録の天使」である。メタトロンは36万5000個の目で世界のあらゆるところを見守り、すべての出来事を記録し続けているのだ。このためメタトロンは地上と天界の秘密をすべて知っていて、秘密の守護者、天界の書記などと呼ばれている。また、こうして集めた情報をもとに、ガブリエル（→p20）やサマエル（→p86）に、どの人間の魂を神に捧げるべきかを指示するという、死の天使としての側面も持っている。そして天国の公文書管理人として、神が結んだ契約書などを保管するのもメタトロンの仕事である。

メタトロンは人間だった

　ユダヤの伝承では、メタトロンは生粋の天使ではなく、もともと人間だったと信じられている。旧約聖書『創世記』の5章24節には、ユダヤ人の先祖であるエノクという人物の最期が、以下のような表現で描写されているのだ。
　「エノクは神とともに歩み、神が彼を取られたので、いなくなった。」
　『創世記』では、エノク以外の人物が命を落とす場合「彼は死んだ。」という表現が使われている。わざわざ「神が彼を取られた」という表現が使われていることについて、ユダヤ教の学者たちは「エノクは死んだのではなく、神によって天国へ引き上げられた」と解釈したのだ。
　この経緯を物語としてくわしく描写したのが、旧約聖書外典『エノク書』である。エノクは「ノアの方舟」の神話で有名なノアの曾祖父で、書記としてすぐれた技術を持ち、非常に高潔な性格だった。神は高潔なエノクが死ぬことを惜しみ、エノクを天国に引き上げて天界の書記として働かせたという。
　『エノク書』には言語と物語の内容が違う3種類の写本があり、『エチオピア語エノク書（第一エノク書）』と『スラブ語エノク書（第二エノク書）』では、エノクは天国へ引き上げられただけだが、そのあと6世紀ごろに書かれた『ヘブライ語エノク書（第三エノク書）』で、天国へ引き上げられたエノクが、神によって天使メタトロンに変えられる様子が描かれているのだ。
　ちなみにメタトロンには「サンダルフォン（→ p36）」という双子の天使がいる。サンダルフォンも、エリヤという人間が天使になった存在だとする説がある。

ホントに双子!? メタトロンとサンダルフォン

メタトロン様とサンダルフォン様は、どちらも人間から天使になったってことですけど、何度聞いてもおかしな気分になるのですよ。
そもそもエノクさんって、エリヤさんより何千年も前に生まれた人なんです。だからエノクさんがメタトロン様になったとき、エリヤさんはまだ生まれてないはず。なのに『第三エノク書』では、天国に上がったエノクさんがサンダルフォン様と出会っているんです。
なんでまだ生まれてないエリヤさん＝サンダルフォン様が天国にいるですか？　わけがわからないのですよ。

メタトロンさまは天使さんのなかでいちばん年少さんらしいのだ。
いくつなのだー？……えっ、はっせんごひゃくさい!?
ぜんぜん年少さんじゃないのだー！

illustrated by 深崎暮人

みんなのお祈り編み上げます
サンダルフォン

英字表記：Sandalphon,Sandalfon　名前の意味：共通の兄弟　別名：オファン（車輪）
出典：ユダヤ教の教典『タルムード』など

御前の七天使

天にも届く高身長の天使

　サンダルフォンは、メタトロンの双子の兄弟であるとされ、兄メタトロンの代わりに「御前の七天使」のリストに加えられることもある天使だ。

　サンダルフォンの最大の特徴は、兄メタトロンをも上回るその巨大さだ。神から十戒の石版を授かったことで知られるモーセが天国を旅したとき、モーセはサンダルフォンを見て「丈高き天使」と呼んでいる。同行した天使ハドラニエル（→ p68）によれば、サンダルフォンの身長は、ハドラニエルよりも「人間が500年間歩き続けた距離」ぐらい高く、その頭は天に届くといわれている。また、全身が炎に包まれていて、近づくとやけどをするという記述もメタトロンによく似ている。

　天使の常として、ユダヤ教の文献ではサンダルフォンの性別は明言されない。19世紀の魔術師マグレガー・メイザースのまとめた魔導書『ソロモンの大きな鍵』によると、サンダルフォンは「契約の箱の左側に立つ女性の天使」だという。

　ちなみにサンダルフォンという名前の由来は、ギリシャ語で「共通の兄弟」という意味の言葉「シナデルフォス」がなまったものだと考えられている。サンダルフォンがメタトロンの兄弟であることをおおいに意識したネーミングだ。「サンダルの愛好家」という意味だとする説もあるが、これはあくまで俗説に過ぎないようだ。

サンダルフォンの多彩な職能

　サンダルフォンは、兄メタトロンに負けないくらい多くの役割を持つ天使だ。

　まずひとつめの役目は、兄と同じくユダヤ人の祈りを神に伝えることで、この役割からサンダルフォンは「祈りの天使」と呼ばれる。サンダルフォンはユダヤ人が捧げた祈りを集めて花輪を編み上げる。その花輪は編み上がった先からひとりでに神の頭にのせられ、神に祈りの内容を届けるのだという。

　悪魔と戦うのも、サンダルフォンの大事な役割だ。20世紀の天使学者グスタフ・デヴィッドソンの表現によれば「大天使ミカエルとサタンの争いと同じように」、サンダルフォンはユダヤ教における悪魔の首領サマエルと、決着のつかない戦いを延々と続けているのだという。

　このほかにもサンダルフォンには、天界の合唱隊の指揮者、鳥の監視役、天国に昇る魂の案内役、7層に分かれた天国のうち1層の管理人など、多彩な仕事で天界と地上の維持に貢献している。

　また、ユダヤ教の神学の一種である「カバラ」では、サンダルフォンは妊娠に深く

illustrated by spiral

関わる天使だとされている。サンダルフォンは妊娠のときに胎児の性別を決め、その出産を守護する天使である。そのため子宝に恵まれない夫婦や妊娠した女性は、サンダルフォンに祈りをささげるのだ。

預言者エリヤの昇天

サンダルフォンは、兄であるメタトロンと同じく、以前は人間だったと信じられている。サンダルフォンの元になった人間とは、旧約聖書『列王記』に登場するユダヤ人の預言者、エリヤである。エリヤという名前には、「我が神はヤハウェ」という意味がある。旧約聖書には何十人もの預言者が登場するが、エリヤは新約聖書『ヨハネによる福音書』で、代表的な預言者として高く評価される人物だ。

エリヤが活躍した時代のイスラエル国王アハブは、他国と同盟を結ぶために、異教の神バアルへの信仰をイスラエルに取り入れていた。アハブ王は周囲の国とうまく交流してイスラエルの国力を伸ばした優秀な王だったのだが、純粋に宗教的な視点だけで見ると、ヤハウェ以外を信仰しないという契約を神と結んでいるユダヤ人にとって、異教の信仰を持ち込むのは非常に罪深いことだった。

エリヤはバアル信仰の導入に異議をとなえ、バアルの預言者400人と「どんな奇跡を起こせるか」を競い合って完全勝利し、預言者たちを皆殺しにしてしまう。この行為は政略結婚でイスラエルの王妃となった王妃イゼベルの怒りを買い、エリヤはイゼベルに命を狙われるようになった。エリヤは刺客から逃れながら各地で神の偉大さを説いていたが、あるときエリヤのもとに、炎の馬に引かれ、天使が御者をつとめる戦車があらわれ、エリヤを天へ連れ去ったのだという。

以上が『列王記』に書かれているエリヤ昇天の経緯である。後世のユダヤ教徒は、このとき天に昇ったエリヤは、エノク（→p33）と同じように天使サンダルフォンに変えられたと考えたのである。

ブラジル、サバラ市のカルモ教会に描かれた19世紀初頭の天井画。エリヤが炎の戦車に乗って昇天する様子が描かれている。

そもそもエリヤが天使だった？

ユダヤ教の伝説のなかには、人間エリヤが昇天して天使サンダルフォンになったのではなく、そもそもエリヤ自身がもともと天使だったと解釈するものもある。天使エリヤは、「炎の天使」の軍勢のなかでも強力な天使だったという。ユダヤ人は、昇天したエノクが将来地上に帰ってくると信じており、後にイエス・キリストが十字架のうえで叫んだとき、イエスはエリヤを呼んでいるのだと解釈したという。

『ゾーハル』という本によると、サンダルフォン様は炎の天使で、近づきすぎると天使だってやけどしちゃうのです……あっ、メシアちゃん様、サンダルフォン様でお芋を焼かないでください！　失礼ですよ！

七大天使小辞典

七大天使を紹介する文献って、ほんとにいろいろあるのですよ。なかには「誰でしたっけ？」って感じの天使様が七大天使にあげられていたりとか……せっかくなので、できるだけたくさんご紹介しますね。

オリフィエル

教皇大グレゴリウスの七大天使のひとりで、後世のオカルト文献に頻繁に名前が登場する。

ソロモン王の72柱の悪魔で有名な魔導書『レメゲトン』では、昼2時に対応する天使であり、そのほかの文献でも土星の天使、荒野の天使、エジプトの天使、土曜日の天使などさまざまな属性を与えられている。

ザカリエル

名前の意味は「神の記憶」。教皇大グレゴリウスの紹介した七大天使のひとりで、天使九階級の第4位の天使「主天使」たちを統率するほか、木星の支配者とされる。

シェパード

名前は「牧畜をする人」という意味。7～8世紀ごろに書かれたキリスト教系の宗教文献『ヘルマスの牧者』に登場し、罪人への罰を定める聖なる天使と呼ばれている。

シドリエル

『ヘブライ語エノク書』に登場する七大天使で、パズリエルという別名もある。七層構造の天国の最下層である第1天を支配する。

シミエル

別名カムエル。6世紀のローマ教皇グレゴリウス一世や、神学者偽ディオニシウスなどが七大天使として紹介したが、8世紀にウリエルとともに堕天使と認定されてしまった。

シャカクィエル

別名サハクィエル。空を支配する天使で、『ヘブライ語エノク書』（第三エノク書）で七大天使とされる。

ゼラキエル

太陽、7月、獅子座の天使。『エチオピア語エノク書』で七大天使とされる一方、同書では、人間を見張る天使「グリゴリ」の一員に名を連ね、同僚の天使とともに肉欲におぼれ、堕天使になったエピソードが紹介されている。

バラディエル

『ヘブライ語エノク書』（第三エノク書）で七大天使のひとりとして登場する、雹の天使。天国の第3層を支配する。

プラヴィル

出典は『スラヴ語エノク書』。もっとも高度な知恵の筆記者にして、天の書物と記録の番人と呼ばれる賢い天使。

ヨフィエル

神学者偽ディオニシウスが紹介した七大天使。方舟伝説で知られるノアの長男セムの家庭教師をつとめた。

そのほかにもユダヤ教関連の文献によく名前が登場し、律法の支配者、木星の霊、天使の53個軍団を率いる指揮官などと呼ばれる。

神と天使のメッセンジャー
レミエル

英字表記：Remiel　名前の意味：神の慈悲　別名：ラミエル（神の雷）、ウリエル、ファヌエル、イェレミエルなど
出典：旧約聖書偽典『エチオピア語エノク書』など

御前の七天使

霊魂の監督者

　レミエルは、旧約聖書偽典『エノク書』において、7人の大天使の最後に名前をあげられる天使。名前の意味は「神の慈悲」である。レミエルはさまざまな天使と混同されており、ラミエル、ファヌエルなどと呼ばれるほか、なかには大天使ウリエルとレミエルを混同している文献も見られる。

　レミエルの役割は、雷を管理すること、7名の大天使の教えを広めることと、そして死者の霊魂を監督することだ。キリスト教とユダヤ教の教えによれば、死者の魂は天国や地獄などの死後の世界で過ごすことになるが、あるとき世界が崩壊し、すべての人間に対して「最後の審判」という裁きが下ることになっている。このときすべての死者は肉体を持って復活し、神の裁きを受けることになっている。レミエルは最後の審判まで死者の霊魂を見守るとともに、最後の審判開始後は、霊魂を裁判の場へと導くのである。

　レミエルの外見について、聖書偽典などの資料はくわしく描写していない。レミエルの別名であるエレミエルの外見について、旧約聖書偽典『ゼファニヤの黙示録』に記述があり、エレミエルは太陽のように輝く顔と炎で溶けた青銅のような足、黄金の腰帯を身につけた天使と描写されている。

幻視の天使ラミエル

　レミエルと混同され、同じ天使の別名とも解釈される天使ラミエルは、旧約聖書偽典『バルク黙示録』によると「幻視」という現象を起こす天使だという。幻視とは「視覚的な幻覚」のことだが、ユダヤ・キリスト教的には「神のメッセージ」という意味が含まれる。つまりラミエルは、人間に幻視を見せることで、神の意志を伝えるメッセンジャーなのだ。

　『バルクの黙示録』の後半では、天使ラミエルが預言者バルクに見せた、最初の人間アダムの罪から始まる長大で恐ろしい幻視が描写されている。その内容は、黒い水で表現される不幸な出来事と、白い水として表現されるよい出来事が交互に12回発生し、その後世界の終末がおとずれるという筋立てで、新約聖書の『ヨハネの黙示録』によく似たものになっている。

たいへんです～！　ミルトンさんの『失楽園』っていう物語で、なぜかレミエル様がサタンの反乱軍に加わってました！　レミエル様、そっちにいると堕天使になっちゃいますよっ！　帰ってきてくださ～い!!

illustrated by 朧月カケル

天使の悪事はゆるさない！
ラグエル

英字表記：Raguel　名前の意味：神の友　別名：ラスイル、ルファエル、スリアン、アラクシエルなど
出典：旧約聖書偽典『エチオピア語エノク書』『スラブ語エノク書』など

天使の堕落を取り締まる天使

　かつて、天使の長だったルシファーが神に反乱を起こしたとき、すべての天使の3分の1がルシファーに従って神に逆らい、戦いに敗れて堕天使になっている。このように天使は堕落して堕天使になることが多いため、ほかの天使が堕落しないように見張る天使が任命されている。それが「神の友」という名前を持ち、旧約聖書偽典『エチオピア語エノク書』で、大地の天使にして御前の七天使のひとりとされるラグエルだ。

　ラグエルは天使の善行と悪行を監視しているほか、7層に分かれた天国のうち2層目を、大天使ラファエルとともに守護している。この層には罪を犯した堕天使たちが入れられ、「最後の審判」での裁きを待っているのだ。

　きたるべき最後の審判の様子を描いた、新約聖書『ヨハネの黙示録』では、審判の前に7名の天使が順番にラッパを吹き鳴らし、そのたびに世界が崩壊していく。一説によるとラグエルは6番目のラッパを鳴らした天使である。このラッパによって4名の天使と、獅子頭の馬に乗った騎兵2億体が呼び出され、獅子の頭から吐き出される火と煙と硫黄によって、人類の3分の1が命を落とすという。

堕天使にされたラグエル

　皮肉なことに、堕天使が生まれないように監視する天使であるラグエル自身が、堕天使とされてしまったことがある……とはいってもこれは、神話のなかでラグエルが悪事を働いたという類のものではなく、あくまで人間の都合によるものだ。

　8世紀ごろのヨーロッパでは、天使そのものを崇拝の対象にする「天使崇拝」が大流行していた。キリスト教の教義では、神以外のものを崇拝することは許されない。天使に対しては、敬意と感謝などを伝える（これを"崇敬"という）のはかまわないが、天使自身を信仰の対象にすることは禁じられている。天使はあくまで神の代理人にすぎないのである。

　そこで西暦745年、ローマ教会のザカリアス教皇は、それまで世間で知られていた、聖書正典に登場しない7名の天使を名指しし、「聖人になりすました悪魔」だと断定した。このなかにはラグエルのほかに、俗に言う四大天使のひとりウリエル（→p28）まで含まれていたというから驚きだ。

> 745年に堕天使にされてしまった天使様は、ラグエル様をはじめ、どの方も有名で偉大ながんばり屋さんばかりなのです。私は堕天使にされないようテキトーにがんばろうっと……サボリじゃないのですよ！

illustrated by しのはらしのめ

サリエル

呪いの瞳で世の中ウォッチング

英字表記：Sariel　名前の意味：神の命令　別名：スリエル、サラクィエル、ゼラキエル、ウリエルなど
出典：旧約聖書偽典『エチオピア語エノク書』など

人の魂を見守る天使

　42ページで紹介したラグエルが天使の堕落を見張る存在である一方、このサリエルは、人間の魂が罪を犯さないように見守るという役割を与えられている。この記述は旧約聖書偽典『エチオピア語エノク書』に見られ、この文献でサリエルは、「サラクィエル」という異名で、七大天使のひとりに数えられている。

　また、サリエルは大鎌を持つ「死の天使」として、神の命令で人間の命を奪う一方、死とはまったく正反対の「癒す者」という異名も持ち、四大天使のラファエル（→p24）と同様に、医術に長けた天使だと考えられている。ユダヤ教の伝承によれば、サリエルはユダヤ教の宗教学者「ラビ」であるイシュマエルという人物に、清潔と衛生についての知識を教えたという。

　旧約聖書に関する最新の発見として20世紀に話題となった『死海文書』の文献では、サリエルは四大天使のひとりとしてウリエルの代わりに置かれるなど、かなり重要な地位を与えられている。この文書群によれば、サリエルは人間の夢と、その解釈にかかわる天使、すなわち幻視（→p40）の天使でもある。

　サリエルの異名サラクィエルを七大天使のひとりに数える『エチオピア語エノク書』では、サラクィエルとは別に、人間を見守る天使の一団「グリゴリ」の一員としてサリエルが登場し、堕天使になってしまっている。サリエルたちグリゴリの天使は、美しい人間の娘たちに魅了され、人間に子供を産ませ、禁断の知識を人間に教えるという大罪を犯してしまったのだ。このときサリエル自身が人間に与えた知識は「月の運行の法則」だったという。

邪視の天使

　人間を見張る天使という特徴からか、サリエルの目には特別な力があると考えられていたようだ。中世以降に発達した、天使の力を借りる魔術において、サリエルの名前には「邪視」という呪いを退ける力があると考えられたのだ。邪視とは世界中で信じられている超常能力で、にらみつけた相手にさまざまな呪いをかけるとして恐れられていた。

　さらに時代が進むと、邪視よけの力があるサリエルの目にも邪視の力があるのではないかと考えられ、サリエルを邪視の天使と呼ぶ資料があらわれている。

> サリエルに邪眼の力があるってことは、カトリック教会も認めてたみたいだな。ほら、証拠はコレ。サリエルの名前が入った邪視よけの護符だよ。この護符、カトリックの教会が売ってたやつなんだぜ。

illustrated by ふみひろ

未使用ナイフがLOVEの証明
ザドキエル

英字表記：Zadkiel　名前の意味：神の正義　別名：ツァドキエル、ゼデキエル、ジデキエル、サキエル
出典：ユダヤ教の宗教文献群など

御前の七天使

生け贄を防いだ慈愛の天使

ザドキエルの名前は「神の正義」という意味で、天使の軍勢を率いる指揮官であり、慈愛、神の恩寵、記憶などとも関連づけられる。キリスト教の天使学の基礎を作った「偽ディオニシウス・アレパギダ」という神学者は、ザドキエルを七大天使のひとりに選んでいる。また、16世紀ドイツの魔術師アグリッパは、ザドキエルを木星の天使と呼んでいる。

ザドキエルを象徴するアイテムは、神に生け贄の犠牲を捧げるためのナイフである。ザドキエルとナイフが関連づけられる原因となった物語が、旧約聖書の天地創造物語『創世記』に書かれている。

アブラハムのナイフを天使が止める場面の絵画。17世紀フランスの画家ローラン・ド・ラ・イール画。

まだユダヤ人、アラブ人という民族の区分もなかった古い時代、アブラハムという信心深い羊飼いが、唯一神ヤハウェから「ひとり息子を生け贄として捧げよ」と命令を受けた。アブラハムがためらわずに息子にナイフを振り下ろし、息子もそれを受け入れたのを見て神は満足し、天使を送ってナイフを止めさせたのだ。このときの天使の名前は『創世記』には書かれていないが、ユダヤ教の宗教学者「ラビ」たちは、この天使はザドキエルまたはミカエル（→p16）だと考えたのだ。

率いるのは炎の天使たち

ザドキエルが天使の指揮官として率いるのは、天使9階級の第4位である主天使（→p152）だとする説が主流だが、ほかにもユダヤ教固有の「ハスマリム」や「シナニム」という種類の天使があげられることがある。

ハスマリムは神の玉座を支える存在で、体は燃えて光を放ち、流れる汗が火の川を作るという天使だ。シナニムも火でできた天使たちで、ユダヤ教の教典などに「万の数千倍のシナニムが、神の戦車に乗っている」という表現から、シナニムは天界の兵士たちなのだと推測される。

ザドキエル様はミカエル様と仲がいいんですね♪　ミカエル様が悪魔と戦うときは、ザドキエル様はすぐにミカエル様のところに来て、直属の将軍として戦うんだそうですよ！

illustrated by さとーさとる

届け天使のLOVEマジック！
ハニエル

英字表記：Haniel　名前の意味：神の栄光、神の恩寵　別名：アナエル、オノエル、アリエル、シミエルなど
出典：ユダヤ教神学「カバラ」の宗教文献など

遅れてやってきた愛天使

「神の栄光」または「神の恩寵（おんちょう）」という意味の名前を持つ天使。ユダヤ教の伝統のなかで生まれた天使ハニエルは、この「御前の七天使」の章で紹介されているほかの天使たちと比べると、固有の物語などを持たない地味な存在だった。しかし中世以降、ハニエルは魔術の世界などで注目される存在になり、いくつかの魔導書や、17世紀の教訓詩『The Hierarchy of the Blessed Angels』などで、七大天使のひとりに数えられるようになっている。

ハニエルの特徴には、ユダヤ教時代の特徴と、後世の魔術や神学であらたに設定された特徴が入り交じっていて、本来の姿を描き出すことは難しい。時代を区別せずに列挙すると、ハニエルは愛と美の天使であり、博愛、優雅、慈悲、純潔などの概念や、金星、天秤座、牡羊座などの天文用語と関連づけられている。魔術師たちは、誰かの愛を勝ち取るためにハニエルを召喚するほか、その名前を書き込んだ護符を作成し、悪しき者をしりぞける魔除けにするという。また、天使の9階級（→p148）のうち、権天使（→p155）と力天使（→p153）を支配する立場にある。

ハニエルは、彼と同様に愛と美と金星に関連づけられた古代中東の女神「イシュタル」と何らかの関係があると考えられている。イシュタルはキリスト教で悪魔「アスタロト」に変えられた存在でもあるため、この推測が本当なら、イシュタルはキリスト教において、天使にも悪魔にもつながりを持つ希有な存在といえる。

ハニエルの別名

ハニエルは多くの別名を持つ天使である。特に有名な別名はアナエルで、「金星の支配者」「性愛をつかさどる」など、ハニエルに似た特徴を持っている。しかしそのほかの別名「オノエル」「アリエル」の名で呼ばれるときのハニエルは、本来のハニエルとはかなり異なる特徴で描かれている。

オノエルはキリスト教の異端宗派「グノーシス主義」（→p79）に登場する存在で、7名の偉大な悪魔（アルコーン）のひとりとされる。ロバの姿で描かれることもある。

アリエルは旧約聖書外典『エズラ書』に登場する「神の獅子」という意味の名前を持つ天使だ。魔術書などでは獅子の頭を持つ天使として描かれる。

23ページで紹介した「セフィロト」の右下にある「ネツァク」ってのを守護するのが、ハニエルの仕事なんだってさ。ネツァクの意味は……「勝利」？　そうはいくかー！　最後に勝つのはこのグレム様だってのっ！

illustrated by C-SHOW

天使のパンをめしあがれ！

> ふぁ〜、おはよー。さーて朝ごはんっと……
> あれ、ハニャ天、またそれ食ってんの？

> ええ、この「天使のパン」は、天使の唯一のゴハンですからね！
> 朝一番で一日分集めてきましたから、これだけあれば今日のご飯はばっちりなのですよ。

> ## キュピーン！

　天使たちは、「天使のパン」と呼ばれる食べ物を唯一の食料としている。このパンは、蜜でできた薄いウエハースのようなもので、「マナ」という別名でも呼ばれている。これは神が生み出した食物で、肉体と精神の両方に栄養を与えるという。

　旧約聖書『出エジプト記』には、預言者モーセに導かれてエジプトを脱出したユダヤ人たちが、中東の荒野で飢えに苦しんだとき、神からマナ（天使のパン）を与えられるシーンが描写されている。ユダヤ人はマナを食べ続けて、40年ものあいだ砂漠を旅することができたという。ただし『出エジプト記』でユダヤ人が食べたマナは薄いウエハース状ではなく、白くて薄いウロコのような形だった。

天使のパンは実在する？

　じつは、ユダヤ人が食べた天使のパンは実在する可能性がある。砂漠などの乾燥地帯に生える低木「タマリスク」には、アブラムシのような昆虫がタマリスクの樹液を吸って吐き出した蜜が、ウロコ状に枝にこびりつくのだ。この糖分の乾いたものが、『出エジプト記』のマナ（天使のパン）ではないかと考えられている。

> けぷ。まんぷくなのだー。
> 天使のパン、甘くておいしかったのだ。
> パンよりもお砂糖のおかしにちかい気がするのだ。

> ううっ、メシアちゃん様ひどいのですー！
> これで明日の朝までご飯抜き決定なのです……

> あー、なんかご愁傷様だな。
> またメシアちゃんに食べられちゃっても大丈夫なように、パン何食分か貯めておいたほうがいいぜ〜。

> ううっ、『出エジプト記』を読んでくださいです。
> 天使のパンは日持ちがしなくて、翌日の朝には腐っちゃうのですよ。明日からは毎朝メシアちゃん様の分のパンも集めなきゃなのです……とほほ〜。

ユダヤ、キリスト教の天使

Angel of Judaism & Christianity

ユダヤ教とキリスト教には、
四大天使や御前の七天使のほかにも、
固有の名前と独特の役割を持つ無数の天使が存在します。
この章で紹介するのは、聖書の外典や偽典、
神学研究書などに登場する、
ユダヤ教とキリスト教の伝統のなかで生まれた天使たち、
13組17名です。

illustrated by きつね長官

ケルビエル

神様のヒミツを教えてあげる♥ ラジエル

英字表記：Rasiel, Raziel　**名前の意味**：神の秘密、神秘の天使
別名：ラツィエル、ガイズル、サラクィエルなど　**出典**：ユダヤ教神学「カバラ」の文献群

禁断の知識を与える天使

　神の楽園「エデンの園」でぬくぬくと過ごし、生き抜く知恵など持っていなかったはずの最初の人間アダムが、厳しい地上で生きていけたのはなぜなのか？　ユダヤ教の神学の一種「カバラ」の伝説によると、それはアダムが、秘密の知識をまとめた本を天使に与えられたからだという。この本の名前は『天使ラジエルの書』。神秘の天使ラジエルが制作した、伝説上の書物である。

　天使ラジエルの名前は「神の秘密」という意味で、ほかの高位天使でさえ知ることができない秘密の知識の管理者である。天使9階級（→p148）の第3位にあたる、座天使（スローンズ）の指導者だとする記述もある。

　ラジエルは自分のまとめた知識の一部を、信心深い人間に、本の形式で一部を分け与えることがある。それが『天使ラジエルの書』だ。この本には、世界のあらゆる知識、天使たちの名前と祈りを捧げる方法、人間が天使の姿を見るための術などが紹介されているという。

　はじめにラジエルの書を手にしたのは、最初の人間アダムだった。その後、ラジエルの書は『旧約聖書』の登場人物の手を転々とわたっていく。天使メタトロンに変わったというユダヤ人エノク、大洪水に備えて方舟を造ったノアや、「魔術王」の異名で知られるソロモン王の偉業の背景には、天使ラジエルの書から得た知識があったのだという。

『ラジエルの書』とユダヤ人

　ユダヤ人は、『天使ラジエルの書』を「お守り」として使用した。ラジエルの名前が冠された小冊子を、枕の下に敷いたり、ポケットに入れることで、神からの祝福が与えられると考えたのだ。

　また、伝説上の『天使ラジエルの書』の写本だとする魔導書も存在している。ただしこれはおそらく13世紀ごろに、他の多くの魔導書を参考にして書かれたもので、伝説上の『天使ラジエルの書』と直接つながりのある本だとは考えにくい。

13世紀の魔導書『天使ラジエルの書』の1ページ。天使が使うという文字と、ラジエルの加護を得るための図形が紹介されている。

　『ラジエルの書』は、敬虔な信者にしか読めませんけど、正しく使えば、あらゆる悪から守られるスーパーアイテムです！　メシアちゃん様もはやくキレイな心に戻って、このご本を読めるようになってくださいね～♪

illustrated by けいじえい

異教徒専用スペシャルドリンクできあがり

にがよもぎ

英字表記：Wormwood　名前の意味：にがよもぎ　別名：なし
出典：新約聖書『ヨハネの黙示録』

終末の空に輝く天使

　ユダヤ・キリスト教の天使には、聖書に登場する"天使と関係のない固有名詞"が、天使の名前と解釈されるようになったものが少なくない。この「にがよもぎ」は、植物の名前が星の名前になり、それが天使と解釈された珍しい例だ。

　にがよもぎは、この世界の終わりを描いた新約聖書『ヨハネの黙示録』第8章に登場する。この章では、世界に終わりをもたらすため、7名の天使があらわれる。天使たちがラッパを吹き鳴らすたびに地上は破壊され、多くの不信心者が命を落とし、地上には神と救世主（メシア）が統治する国があらわれるのだという。

　7名の天使のうち、3人目の天使がラッパを吹いたときに"にがよもぎ"はあらわれる。これは「たいまつのように燃えている大きな星」であり、空から落下して世界中の川や水源に降り注ぐ。これによって世界中の水の3分の1が「にがよもぎのように苦い水」に変わり、それを飲んだ者は命を落としてしまうのだという。

　にがよもぎはキリスト教の神学で天使と解釈される一方、世界を破壊し多くの人間を殺すことから、堕天使とされることもあるようだ。カトリック教会の礎をつくった1世紀の聖人パウロは、にがよもぎを「サタンに等しい存在」と呼んでいる。

現実世界のニガヨモギとは

　英語版の聖書では、にがよもぎは"wormwood"と表記されている。これはヨーロッパ原産の薬用植物で、古くから胃薬や虫下し、衣類の虫除けに使われてきた。しかしニガヨモギの薬効成分「ツヨン」は劇物であり、大量に摂取すると、吐き気、錯乱、幻覚、習慣性など、麻薬同然の症状を引き起こすのだ。

　18世紀、ニガヨモギなどの香草を酒に漬けて作る深緑色の酒「アブサン」が発明された。画家ゴッホや文豪ヘミングウェイなど芸術家に愛飲されたアブサンは、大量の中毒患者を作り出した。自分の耳を切り落としたことで知られるゴッホの奇行の原因は、生来の精神病がニガヨモギの中毒症状で悪化したためだと考えられている。

ドイツの植物学者フランツ・ユルゲン・ケーラーの描いたニガヨモギのスケッチ。1897年の作品。

> 水入りグラスにスプーンを置いて、その上に角砂糖をセット。砂糖にたらすみたいにアブサンを注いだら点火！　炎で溶けた砂糖に水を注いで、グラスに入れて飲むのが、格好いいアブサンの飲み方なんだぜ！

illustrated by 李玖

…太陽なんてメじゃない輝き！
ケルビエル

英字表記：Kerubiel, Cherubiel　名前の意味：神座に踊る炎
別名：ケルビエル・ヤーウェ　出典：『ヘブライ語エノク書』

智天使(ケルビム)を統べる天使

　ケルビエルはユダヤ教の文書に登場する天使で、「ケルビム」という種類の天使たちを率いる指揮官である。ケルビムはいわゆる人間型の天使とはかけはなれた姿を持つことで有名で、その指揮官であるケルビエルも、単純な人間型の天使とはかなり違う外見をしている。

　ケルビエルが登場する、ユダヤ教の神学「カバラ」の文書『ヘブライ語エノク書（第三エノク書）』によれば、ケルビエルの体は7層の天国と同じくらい巨大で、体の中には燃えさかる石炭が詰まっている。顔全体が燃えさかる炎のように見え、瞳は火花、まつ毛は稲妻。頭には稲妻でできた冠が乗せられ、YHVHという神の名前が冠に刻み込まれている。体からは稲妻と炎が吹き出していて、背中には「シェキナーの弓」という武器を背負っているという。シェキナーとはユダヤ教固有の概念で、神から分離した輝くエネルギーのようなものだ。太陽の36万5000倍明るいとされ、その光で世界の端から端までを照らすことができる。

　ケルビエルはどこに行っても雷鳴と地震がついて回り、ケルビエルが怒ると地球が揺れるとされる。非常にスケールの大きな天使だといえるだろう。

　また、ケルビエルは「ケルビエル・ヤハウェ」という別名で呼ばれることもある。この「ヤハウェ（YHVH）」は、神の周りにあることができる、最高位の天使たちだけに与えられる名前であり、ケルビエルの偉大さをあらわしている。

ケルビエルが指揮する天使たち

　ケルビエルが指揮するケルビムという天使は、人間、獅子、牛、鷲の頭部と、目玉がついた無数の翼を持つという異形の天使である（→p150）。ただしケルビムのなかには人間に近い姿で描かれたり、羽の生えた子供のような外見の者もいる。後者の子供風のケルビムは「プット」という名前で呼ばれ、西ヨーロッパなどキリスト教世界の絵画に好んで描かれる。

聖母マリアを祝福するプットたち。16世紀イタリアの画家、ベルナルディーノ・フンガイの作品。

　智天使ケルビムの名前のモトネタは、中東の「カリブ」っていう神だって説があるみたいです。カリブさんは建物の守護神だそうなので、玉座や楽園を守るケルビムさんたちとたしかに似てますね〜。

illustrated by 9時

突撃! 天使軍団 12000
ケムエル

英字表記：Kemuel　名前の意味：神の集会　別名：カマエル（神を見る者）、カンケル、カミエルなど
出典：旧約聖書偽典『モーセの黙示録』など

懲罰の天使の指揮者

　「神の集会」という意味のケムエル、「神を見る者」という意味のカマエルなど多くの名前を持つ天使ケムエルは、多くの伝承で「天使の軍団の指揮官」として紹介されている天使だ。

　旧約聖書偽典『モーセの黙示録』によれば、ケムエルは「破壊の天使」と呼ばれる、人間に懲罰を与える役目の天使を12000名率いる指揮官だ。別の伝承ではカマエルの別名で登場し、天使9階級の第6位にあたる「能天使」たちの指揮官だという。能天使は悪魔と戦う役目を与えられた天使であり、つまりケムエルは悪魔と戦う天使の将軍ということになる。また、13世紀に書かれた『ラジエルの書』（→p52）では、神の玉座を囲む天使の軍団を率いる軍団長だともされている。

　ユダヤ教の神学「カバラ」や、西洋魔術では、ケムエルは火星や火曜日と関連づけられる天使で、天国の第3層に達した魂の行動を記録する役目を負っている。

堕天使としてのケムエル

　ケムエルは、ウリエル（→p28）やラグエル（→p43）などと同様、行き過ぎた天使信仰を鎮静化させるため、西暦745年にローマ教皇によって堕天使と認定された天使のひとりだ。その後の伝説においても、ケムエルはユダヤの伝説などにおいて、しばしば堕天使として紹介されるようになっている。

　13世紀ごろに編集された、ユダヤ教神学「カバラ」の解説書『ゾーハル』に掲載された伝承によれば、海を割った逸話で有名なユダヤ人の預言者モーセが、十戒の石版を得るために天国へ上ったとき、ケムエルは人間の手に神の教えが渡ることに不満を感じて、モーセの天国行きを妨害しようとした。しかしこの戦いに敗れたケムエルは、モーセの一撃によって消滅してしまったという。

　後世の魔術では、ケムエルは召喚魔術によって呼び出される堕天使であり、岩の上にうずくまった豹の姿で描かれる。彼は地獄において堕天使軍団の指揮官をつとめ、「パラティン伯」の地位にある。パラティン伯とは中世貴族社会の用語で、国王の特権の一部を行使することを許された領主のことだ。つまりケムエルは、地獄でもそれだけ高い地位にいるということになる。

> 人間のみなさんに罰を与える「破壊の天使」は、ケムエル様が率いている12000名のほかにもたくさんいて、総数は7万から9万くらいになるとか……悪い子な人間さんを裁くには、やっぱり数が重要ですかねえ。

illustrated by curuccu

元気な赤ちゃん作ります
ライラ

英字表記：Laylah, Lailah　名前の意味：夜
別名：ライラエル、レリエル　出典：ユダヤ教の教典『タルムード』など

妊娠と出産の天使

　ライラは、妊娠と出産を守護する天使である。ライラはこれから産まれる人間の魂を母体へ運び、出産を見守るのだ。また、ユダヤ人は、妊婦や赤ん坊は"リリス"という悪魔に攻撃されると信じていた。そのためリリスの魔の手から胎児や赤ん坊を守るのも、ライラの重要な役割である。

　ライラの仕事は、女性が子供を妊娠したその瞬間から始まる。まず最初に、子供の父親の精液が、ライラによって神のもとに持ち込まれる。神はライラが差し出した精液を確認して、その子供にふさわしい魂を選んでライラに渡し、これをライラが胎児の中に入れる。このとき神が選んだ魂の特性によって、産まれてくる赤ん坊の性別、才能、容姿、性格、将来の豊かさなどが決定されるのだ。

　神が選んだ魂は、それまで神のもとの精神世界で楽しく日々を過ごしていたので、人間の体に入ることをいやがる傾向がある。ライラは魂が逃げ出さないように子宮まで連れて行き、胎内で胎児の教育を始める。ライラが教える内容とは、胎児が生まれたあとに歩む人生の内容も含まれているのだが、ライラは出産の直前に赤ん坊の鼻をはじき、それまで教えた知識のうち、胎児の将来に関する知識をすべて忘れさせてしまうのだという。

悪魔か天使か、ライラの正体

　ユダヤ教の教典『タルムード』や、ユダヤ教神学の解説書『ゾーハル』では、妊娠と出産の天使として上のように紹介されるライラだが、別の文献ではまったく違う存在として紹介されている。

　旧約聖書『創世記』には、ユダヤ人の祖先であるアブラハムが、甥のロトとその一族がほかの部族に襲われて誘拐されたと聞き、一族を率いて戦争をしかけ、ロトと一族とその財産を取り返す話が掲載されている。一部のユダヤ教文献によれば、この戦いには天使ライラが協力していたのだという。

　そしてユダヤの民間伝承では、ライラは天使ですらない。ライラは胎児を襲うという悪魔リリスと同様に、眠っている人間を攻撃したり、女性を欲情させる力を持つ、悪魔のような存在だとされている。

> 赤ちゃんがうまれるのをお助けする天使さんって、70人よりもっとおおいらしーのだ。こんなにたくさんいるなら、赤ちゃんがたくさん生まれても安心なのだ〜！

illustrated by nio

「エル」をつければ5秒で天使!
アダメル&ヘルメシエル

英字表記:Adamel / Helmesiel　名前の意味:人名+神(エル)
出典:初期ユダヤ教の天使学

つくられた天使たち

　ユダヤ教やキリスト教の天使は、すべてが由緒正しい由来を持つものではない。なかには、後世の学者や作家の妄想、民衆の願望から自然発生したものなど、正統な宗教とはなんの関係もない天使も混じっているのだ。その草分けにして典型的な例が、1世紀前後のユダヤ教団で生まれた、アダメルとヘルメシエルだ。

　アダメルは、最初の人間「アダム」が、のちに天使になったという思想から生まれた。アダムは旧約聖書偽典『アダムとエバの生涯』で、「明るい天使」と呼ばれたり、旧約聖書偽典『スラブ語エノク書(第二エノク書)』で「第2の天使」と呼ばれるなど、もともと天使とみなす文書が多かった。このことから、アダムの名前に「エル」をつけて、アダメルという天使の名前に変えるようになったのだ。

　ヘルメシエルは、ギリシャ神話の伝令の神「ヘルメス」を天使化した存在である。彼は天国の聖歌隊の指導者であり、同じ役目についているメタトロン(→ p32)、ラドゥエリエル(→ p72)の同僚である。

　ギリシャ神話のヘルメスは、魂を冥界に導く役目と、神の言葉を人間に伝える役目を持っている。これに天使との共通点を見たユダヤ教の神学者たちは、ヘルメスを神に仕える天使「ヘルメシエル」としてユダヤ教に取り込んだのである。

天使のつくりかた

　古代の中東では、神の偉大さをあらわすために、神の名前に「主」という意味の単語をつけるのが一般的だった。例えばハエの悪魔として有名なベルゼブブの本来の名前は「バアル=ゼブル」といい、「高き館の主(バアル)」という意味がある。

　初期のユダヤ教でもこれに似た習慣があり、なんらかの神聖な者を呼ぶとき、その語尾に神を意味する「エル(el)」をつけることがある。天使の大半は、この法則で「天使の特徴+エル」という名前がつけられている。中世ヨーロッパでは、この天使の命名法則が、日本の「八百万の神」のごとくエスカレートし、生活に密着した概念や物品にかたっぱしから「エル」をつけて、天使の名前に変えてしまったのだ。

　このように民間伝承が生み出したいい加減な天使は、神学用語で「接尾語の天使」と呼ばれている。その数は、一説によれば何百、何千に達するという。

> 中東の冥界神のネルガルって人も、88ページに紹介されてるナサギエルって天使に変わってるな。ネルガルさんはそのままの名前で悪魔にもなってるから、さしずめ天使と悪魔のリバーシブルってとこか!

illustrated by Syroh

神の勝利をこの島に！
ヴィクター

英字表記：Victor　名前の意味：勝利者？
別名：ヴィクトリクス　出典：聖パトリックの伝記など

アイルランドに聖人を呼ぶ天使

　ヴィクターは、ヨーロッパの北西に浮かぶ島国「アイルランド」にキリスト教を布教した聖人「聖パトリック」の伝説にあらわれる天使だ。ヴィクターはパトリックの夢の中だけにあらわれたため、その外見や能力についてくわしいことはわからないが、ヴィクターをアイルランドに導くという重要な役割を果たしている。

　聖パトリックは4～5世紀の人で、ブリテン島（イギリス）西部の役人の家に生まれたが、16歳のときに誘拐され、アイルランドで奴隷として働いていた。奴隷生活の中で神への祈りに目覚めたパトリックは、6年後、本格的な宗教教育を受けるためにアイルランドを脱出。ヨーロッパ本土に渡って司祭の地位を手に入れると、故郷であるブリテン島へ帰郷する。ヴィクターが出現したのはこのときだった。

　ある夜、パトリックの夢の中に、ヴィクターと名乗る男が、大量の手紙を持ってあらわれた。そのなかの一通をパトリックが見ると、その冒頭には「アイルランドの人々の声」と書かれており、アイルランドの人々が「自分たちに神の教えを説いてほしい」と願う声が聞こえてきたのだ。

　パトリックは家族の制止を振り切って、みずからを奴隷としたアイルランドへ舞い戻り、現地にキリスト教を広めて多くの人の心を救ったのである。

アイルランド化したキリスト教

　アイルランドの宗教事情をよく知るパトリックは、「ドルイド」という土着宗教を持つアイルランド人にキリスト教を受け入れさせるために、キリストの教えをアイルランド風にアレンジした。まず、アイルランド人が大切にしているシャムロック（三つ葉のクローバー）を利用して、キリスト教の重要な教義「三位一体（→p186）」を説明した。キリスト教のシンボルである十字架も、「ドルイド」で太陽をあらわす円環と組み合わせ、右のような新しい十字架に変えたのだ。

　パトリックのこうした工夫が功を奏し、アイルランド人は、すんなりとキリスト教を受け入れたという。

フランスのペール・ラシェーズ墓地にあるケルト十字。

　アイルランドで生まれた独特のキリスト教は、いまではアイルランドだけじゃなくて、アメリカでも信仰されてるのですよ。なにせアメリカは、アイルランドからの移民をたくさん受け入れましたからねえ。

illustrated by WZK

炎のムチでおしおきよ☆
クシエル＆アナフィエル

英字表記:Kushiel / Anafiel　名前の意味:神の厳格なるもの／神の枝　アナフィエルの別名:アナフィエル・ヤーウェ
出典:カバラ文書「マセケト・ガン・エデン＆ゲヒノム」／『ヘブライ語エノク書』（6世紀）など

異教徒を叩くクシエル

　日本で、天使といえば、人間を見守る優しい導き手だったり、悪魔と戦う正義の戦士というイメージが強いが、ここまで紹介してきた天使たちを見ればわかるとおり、ユダヤ教やキリスト教の天使の仕事はそれだけではない。なかには「罪人を罰する」ことが主な仕事という天使もいるのだ。ここで紹介するアナフィエルとクシエルは、どちらも炎のムチを武器として持ち、これで罪ある者に刑罰を加える天使として知られている。

　キリスト教の教義によれば、神とキリストを信じない異教徒は、よほどの善人でないかぎり、すべて地獄に堕ちることになっている。クシエルは地獄を統括する「懲罰の天使」のひとりで、異教徒の死者の魂を炎のムチで叩くという。

　懲罰の天使とは、悪しき死者に罰を加える存在である。クシエルが紹介されている『マセケト・ガン・エデン＆ゲヒノム』という文献によると、懲罰の天使は7名いるが、その名前は文献ごとにまったく異なっている。

天使を罰したアナフィエル

　アナフィエルも、炎のムチを持ち、そのムチで罪を犯した者を叩くという側面を持つことはクシエルら「懲罰の天使」とかわらない。アナフィエルの特徴は、手に持った炎のムチを振るった相手が人間ではなく、小ヤハウェの異名を持つもっとも偉大な天使「メタトロン」（→p32）だったことだ。

　メタトロンが罰を受けることになったのは、天国で神の次に偉大とされたことにおごりたかぶり、天使たちを自分にかしずかせて、第2の神のように振る舞っていたからだ。天国に上っていた人間の学者の訴えでこの事実を知った神は、アナフィエルに命じて、炎のムチでメタトロンを60回打たせたのだという。

　アナフィエルはこのほかにも、天国の最上層にある7つの大広間の鍵を管理する者であり、『ヘブライ語エノク書』では、「名誉と栄光と愛に包まれた、偉大で残酷な恐ろしい支配者」と表現されている。

　メタトロンに刑罰を執行できるほど偉大で強力な天使だったアナフィエルは、メタトロンと同様に、神の4文字の名前を与えられ、アナフィエル・ヤーウェと呼ばれることがある。

ムチで叩く刑罰ってのは世界中にあるみたいだなー。世の中にはいろんな体罰があるけど、むち打ちは見た目が派手で痛いわりに、体に与えるダメージが少ないから、見せしめの罰にもってこいなんだよ。

illustrated by 々全

われらモーセのお世話役トリオ
ハドラニエル&ナサルギエル&ザグザゲル

英字表記:Hadraniel／Nasargiel／Zagzagel　名前の意味:神の威厳／不明／神の光輝
出典:ユダヤ教神学「カバラ」の解説書『ゾーハル』など

モーセの天国行を導いた天使たち

　旧約聖書に登場する、ユダヤ人の預言者「モーセ」は、エジプトの東にあるシナイ山という山の頂上で、神との契約の内容を記した「十戒の石版」を授かったことで知られる人物だ。ユダヤ教の伝統的な解釈では、モーセはシナイ山から天国へ登り、そこで十戒の石版を受け取る過程で、何名もの天使と出会っている。

●ハドラニエル
　彼が発する神の意志は20万の大空を貫き、その口から放たれる言葉は1万2000の雷光となってきらめくというスケールの大きな天使。この天使と天国で出会ったモーセは「畏敬の念に打たれた」が、モーセが人間が知るはずのない"至高の名前"をとなえると、こんどはハドラニエルのほうが恐れおののいたという。別の伝承では、モーセが天国を昇るのを阻止しようとして神に叱責を受けている。

●ナサルギエル
　ライオンの頭を持つ高潔な天使。地獄の支配者であり、モーセに地獄の様子を見せる案内役をつとめた。

●ザグザゲル
　70の言語をあやつる「天使たちの教師」。天国に昇ったモーセにさまざまな知識を授けたほか、地上に戻ったモーセが老衰で亡くなったときは、ミカエル（→p16）やガブリエル（→p20）とともにモーセの魂を天国に送り届けている。

モーセとは何者か?

　モーセは、『旧約聖書』のなかでも屈指の重要人物である。ユダヤ教の聖典『旧約聖書』は、（ユダヤ教の基準で数えると）40冊弱の文書の集合体だが、もっとも重要視される5冊は「モーセ五書」といって、このモーセが書き記したとされているのだ。「モーセ五書」によれば、モーセは当時エジプト人の奴隷となっていたユダヤ人を解放し、海を割る奇跡を起こしてエジプトから逃がしたほか、上でも紹介したとおり、神との契約「十戒」を記した石版を持ち帰ったことで知られている。

　現代の研究では、モーセは約3500年ほど前、紀元前16～12世紀の実在人物であることが確実視されているが、聖書の著者ではないとする説が有力だ。

> モーセさんに「人間が知るはずのない至高の名前」を教えたのは、このナサギエル様だっていわれてます。ちなみに至高の名前ってなんなんでしょう？　一週間待ったら教えてもらえるですかね？

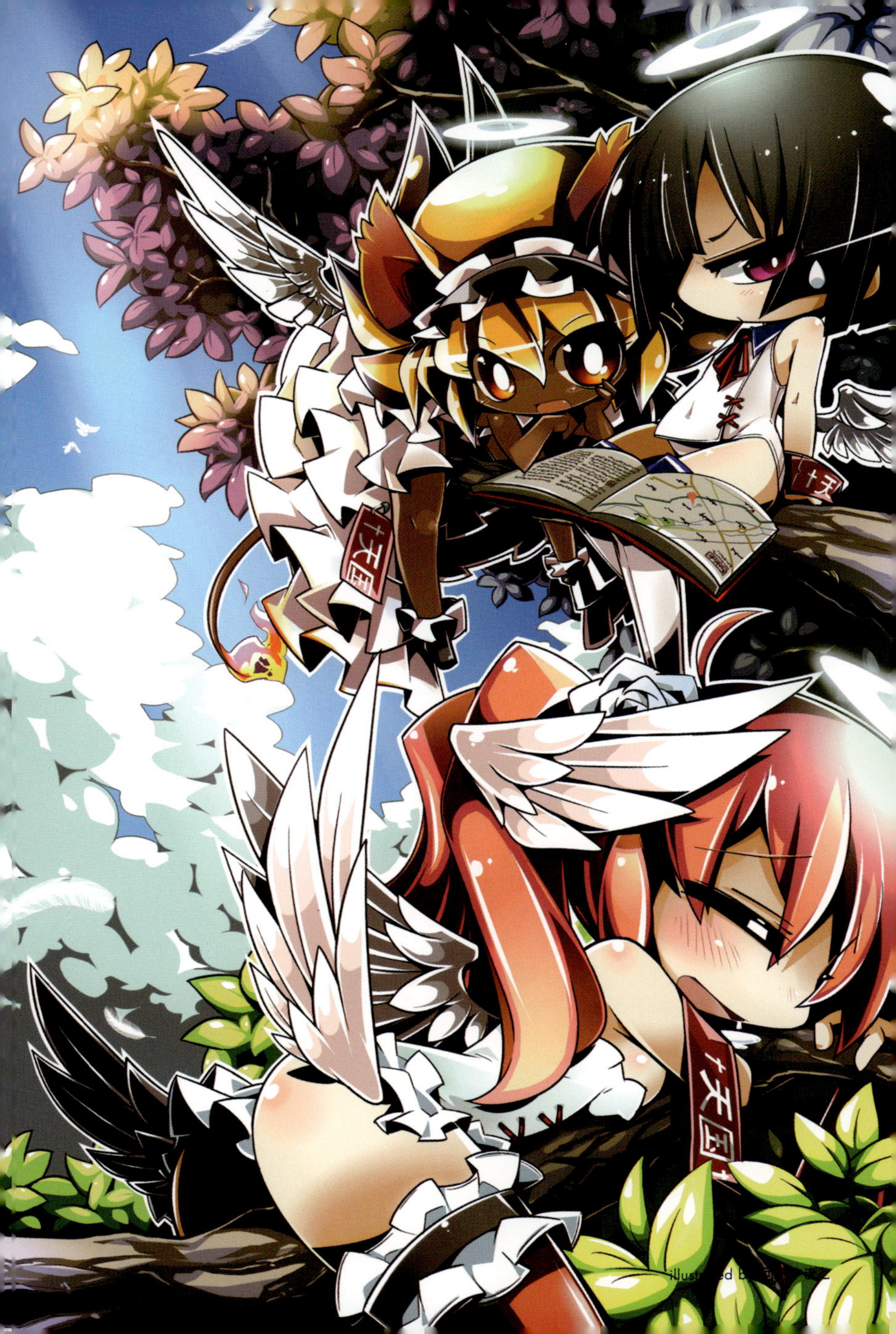

「いただきます」を忘れずに♪
スリア

英字表記：Suria　名前の意味：不明　別名：スルヤ、スリヤ
出典：ユダヤ教神学「カバラ」の解説書『ゾーハル』など

食前食後の祈りを届ける天使

　ここで紹介するスリアという天使は、おもにユダヤ教の宗教文献に名前があらわれる存在で、ユダヤ教徒の生活と切り離せない「食事」に関連した役割を持っている。

　ユダヤ教の教義によれば、食事は神が与えたものである。そのためユダヤ教の信者は、食前と食後に神への祈りを捧げる。ユダヤ教の宗教文献「カバラ」の解説書である『ゾーハル』によれば、スリアはこの祈りを信者から受け取って、神に伝える天使なのである。神はスリアが持ってきた祈りを見ると、祈りを捧げた信者の食卓を祝福し、食事を神聖なものに変えてくれる。

　ユダヤ教の宗教文献のひとつ『セペル・ハヘロト』によると、スリアは9階級の天使のなかで3番目に神に近いとされる「座天使（→p151）」の一員であり、天国の入り口にあたる第一層の宮殿ひとつを任されている番人だという。また、神と直接会う資格を持つ「御前の天使」の一員だとする文献もある。

ユダヤ教の食事規定「カシュルート」

　イスラム教徒が豚肉を食べないというのは有名な話だが、ユダヤ教の食事に関する戒律もイスラム教に負けないくらい厳しい。ユダヤ教では、信者が食べてもよい動物性の食材を、カシュルート（コーシェル）という規定で定めている。

　カシュルートの内容は、旧約聖書のひとつで、預言者モーセが書いたとされる重要な一冊『レビ記』に、その基本的な部分が書かれている。

- 割れた蹄を持ち、反芻をする動物は食べてよい（豚、ウサギ、馬は不可）
- ひれとウロコのある水生生物は食べてよい（エビ、蟹、ウナギ、貝は不可）
- 鳥類のうち、猛禽類は食べてはいけない（ニワトリは食べてよい）
- バッタは食べてよい（それ以外の昆虫類、地中で暮らす者は不可）

　このほかにも、血液を食べてはいけない（レアのステーキは不可）、乳製品と肉類を一緒に食べてはいけないなど、多くの戒律がカシュルートとして定められている。そのため現在でも、敬虔なユダヤ教徒は、カシュルートに添って作られた食事以外を口にすることはない。商店やレストランでも、カシュルートに添った食事かそうでないかをマークで区別し、信者が戒律を守れるようにしているのだ。

> 食べるものにルールがあるなんてめんどいのだー。
> え？　「かいかくは」っていう人たちは、めんどいルールをぜーんぶなくしちゃったらしいのだ？　おともだちになれそーなのだ！

illustrated by curuccu

歌う天使のお母さん
ラドゥエリエル

英字表記：Radueriel　名前の意味：不明　別名：ラドゥウェリエル
出典：ユダヤ教の教典『タルムード』、『ヘブライ語エノク書』（6世紀）

天使を生む天使

　ユダヤ教やキリスト教の正式な教義では、天使を生み出すのは神の力であり、それ以外の存在が天使をつくることはない。しかし何事にも例外はあるもの。『旧約聖書』と並ぶユダヤ教の教典『タルムード』の一節『ハギガー』では、ラドゥエリエルという、天使を生み出す力をもった天使が紹介されている。

　ラドゥエリエルは、詩の天使にして詩人たちの長とされる。『タルムード』の記述によれば、ラドゥエリエルの発する言葉はひとつひとつが「救いの天使」という最下級の天使となり、「聖なるかな」と神を讃える歌を歌い、その日のうちに命を落とすといわれている。このように聖なる歌を歌って1日で命を落とす天使は、短命という意味の「エフェメラエ」という名前で呼ばれている。

　ユダヤ教とキリスト教では、天使を創造する天使というのは珍しい存在だが、異端宗派やイスラム教では珍しくはない。例えばイスラム教の四大天使ミーカール（→p17）は無数のケルビムを生み出す能力がある。キリスト教異端宗派の代表格であるグノーシス主義（→p80）では、ピスティス・ソフィア（→p82）とデュナミスという、単体で子を生み出すアイオーン（天使に似た存在）が登場する。

天使の中で一番偉い？

　『ヘブライ語エノク書（第三エノク書）』では、ラドゥエリエルは天使の第1階級である熾天使よりも上位にあり、「ほかのすべての支配者より高尚で、すべての奉仕者よりすばらしい」と述べられている。ときにはユダヤ教の神学の一種カバラにおける最高位の天使、メタトロンより上位の存在であるとされ、ユダヤ教における世界の終末「最後の審判」を担う8人の偉大な審判の天使にも加えられる。

　『ヘブライ語エノク書』でのラドゥエリエルの職務は、書簡をおさめる文書館の管理者であり、神の求めに応じて書簡箱の封を破り、書簡を神に直接手渡す役割を担っている。彼は最後の審判の日に備え、すべての人間の善行や悪行、祈りを記録しているのである。この職務の名前はユダヤ教神学で「記録天使」と呼ばれ、ラドゥエリエルのほかにもダブリエル、ヴレティル、ブラヴイルなどの名前が見られるが、記録天使はひとりであり、これらはすべて同じ天使を別の名前で呼んだものだという解釈が一般的だ。

> 最初に「聖なるかな」と3回となえる賛美歌は『サンクトゥス』という有名なものです。天使の賛美歌はとってもきれいなのですよ、一緒に聞きましょうね……って、メシアちゃん様、もう寝てるですか。

illustrated by 皐月メイ

3日ならぬ21日天下
ドゥビエル

英字表記：Dubbiel　名前の意味：熊の神　別名：ドビエル
出典：ユダヤ教の教典『タルムード・ヨマ』

2国の守護をかけもちした天使

　ドゥビエルはユダヤ教の教典『タルムード』に登場する天使で、「熊の神」という意味の名前である。『タルムード』に掲載された伝説によると、ドゥビエルはペルシャ地方、現在で言うところのイラン周辺の地域と、その国々を担当する守護天使だった。それに加えて、ドゥビエルは四大天使のガブリエルを押しのけて、ユダヤ人が住むイスラエルの守護天使の地位を掛け持ちしていたこともある。

　伝承によると、ガブリエルはかつてイスラエルの守護天使だった。あるときイスラエルの人々が神との契約を破ったので、神はイスラエルを罰するため「燃える石炭でイスラエルを焼き尽くせ」という命令をガブリエルに下した。ところがイスラエルの人々を焼き殺したくなかったガブリエルは、燃える石炭を運ぶ役目に、わざと"のろま"な天使を起用し、石炭を冷ましてしまった。神の計画を妨害した罰としてガブリエルは神の玉座の周囲から追放され、そのかわりにドゥビエルがイスラエルの守護天使に命じられたのだ。

　ドゥビエルはイスラエルの民に罰を与え、ペルシャを強大にすべく活動をはじめるが、追放されたガブリエルが、イスラエルにすばらしい人間がいることを神に訴えたため、神はドゥビエルにイスラエルを罰させるのをやめ、イスラエルの守護天使をミカエルに変えたり、ガブリエルを御前の天使に復権させることにした。ドゥビエルがイスラエルの守護天使だったのは、わずか21日間だったという。

国家の守護天使

　旧約聖書偽典の『エチオピア語エノク書（第1エノク書）』によれば、世界には70の民族があり、民族ごとに守護天使が割り当てられていた。そして民族どうしが戦争を行い、片方を支配したり滅ぼすのは、守護天使どうしの戦いの結果が反映されていると考えたのだ。

　旧約聖書『ダニエル書』の記述をもとに分析すると、ドゥビエルが21日間イスラエルの守護天使になったのは紀元前6世紀ごろだと考えられる。この時代のペルシアでは「アケメネス朝ペルシャ」という強大な帝国が興り、イスラエルを含む中東一帯を支配していた。ユダヤ教的には、ガブリエルを追い落とすほどのドゥビエルの権勢が、ペルシャ帝国を巨大帝国に成長させたということになる。

> イスラエルとペルシア以外だと、わかってるのはローマとエジプトの守護天使だな。ローマの守護天使は86ページのサマエル様。エジプトの守護天使は海の悪魔ラハブ様……って天使じゃないじゃん！

illustrated by だんごむし

ハッピーバースデー、イエス〜!
ベツレヘムの星

英字表記:Star of Bethlehem
出典:新約聖書『マタイによる福音書』など

ユダヤ、キリスト教の天使

クリスマスツリーに輝く天使

　12月25日。キリスト教の祝日である「クリスマス」が、救世主イエス・キリストの誕生を祝う日だということは有名である。このクリスマスにあわせて世界中で飾られる「クリスマスツリー」のてっぺんに、大きな星が飾られているの見たことはあるだろうか?
　じつはこの星は、単なる飾りではない。この星は「ベツレヘムの星」といって、イエス・キリストが誕生したことを世界中に知らせた天使だと考えられているのだ。

イエスの上に輝いた星

　ベツレヘムの星は、イエスの誕生から死までを描いた新約聖書『マタイによる福音書』に登場する星だ。ベツレヘムとはイエスが生まれた都市の名前で、星が移動してベツレヘムの上空で止まったことからこの名前で呼ばれている。また、旧約聖書『ミカ書』では、ベツレヘムで生まれた子供が、ユダヤ人たちの指導者になるであろうことが預言されていた。
　この星はイエス誕生の数ヶ月前から出現し、ゆっくりと移動していた。あるとき星は移動をやめてベツレヘムの上空で停止した。イスラエルの東方に住んでいた3人の賢者は、この星を見て救世主の誕生を知り、長い旅の末にベツレヘムにたどり着くと、生まれたばかりのイエスにひれ伏して拝み、贈り物をしたという。この逸話に代表されるように、ベツレヘムの星は天高く輝くことで、世界中にイエスの誕生を知らせた天使だったのである。

イエスにひざまずく東方の3博士を描いた作品。左上にベツレヘムの星が輝いている。15世紀フランスの画家ジャン・フーケ画。

　聖書において、星が天使だと考えられるのは珍しいことではない。『旧約聖書』には、イスラエルの戦争に星が手を貸したり、明け方の金星が声をあわせて歌う場面が登場する。『新約聖書』でも、星の姿をした天使「にがよもぎ(→p54)」が登場するのはすでに説明したとおりだ。そもそもユダヤ人は、星は「空で燃えている火」だと考えていた。聖書のなかには天使が燃える炎の姿で登場することも多く、星の正体が天使だということは自然な解釈だったといえる。

illustrated by 3

クリスマスはイエスの誕生日ではない?

　じつは、歴史的に正しいイエスの誕生日は、12月25日ではない。
　12月25日がクリスマス(イエスの誕生日)となった理由は、キリスト教徒が、異教徒の祭りに便乗して自分たちの祭りを行ったことに由来している。つまり、キリストの誕生日と12月25日には、本来なんの関係もないのだ。そしてヨーロッパで使われる年の表記法「西暦」では、西暦1年にイエスが生まれたと定めているが、後述する根拠により、これも正しくないことが判明している。
　すると当然、イエスの誕生日はいつなのか、という疑問が生まれる。これを知るうえでベツレヘムの星は非常に重要な存在だ。なぜならベツレヘムの星は特殊な天文現象だと思われるため、「ベツレヘムの星」がどんな現象で、それがいつ起きたかを計算すれば、イエスの誕生日を日単位で算出できるからだ。
　まず、イエスが生まれた年を調べる。聖書によれば、イエスが生まれたのは「ヘロデ王の在位中で、ローマ帝国が人口調査を行った年」だ。人口調査が始まったのは紀元前7年、ヘロデ王が死亡したのは紀元前4～1年だから、イエスが生まれたのは紀元前7～1年のどこかということになる。この期間に発生した特殊な天体現象を調べれば、それこそが「ベツレヘムの星」である可能性が高いのだ。

ベツレヘムの星の正体とは?

　ベツレヘムの星の正体がどんな天体現象だったのかは、現時点でまた研究途上にあり、いくつもの説が存在する。代表的な説は以下にあげるとおりだ。

●惑星会合説
　17世紀初頭、ドイツの天文学者ケプラーが提唱した有名な説。紀元前7年に、5月27日、10月5日、12月1日と、3回連続で木星と土星が接近する「惑星会合」という現象が起きており、これこそがベツレヘムの星だとする説だ。この説によれば、イエスの誕生日は3回目の会合があった12月1日だという。

●超新星説
　古代中国の記録に書かれている超新星(恒星の爆発)がベツレヘムの星だとする説。超新星は紀元前4年の2月23日に観測されている。

●彗星説
　紀元前5年と4年に観測された彗星のどちらかがベツレヘムの星だとする説。

●木星食説
　1991年に提唱された新しい説で、木星が月に隠れて部分的に見えなくなる「木星食」がベツレヘムの星だとする説。木星食は紀元前6年の3月20日と4月17日に連続して起こっており、2回目の木星食で起きた4月17日がイエスの誕生日だという。

　ベツレヘムの星の正体にはいろんな説があるんだな〜。なになに、「ベツレヘムの星の正体はUFOだった!」? **な、なんだってぇ〜!?** って、いくらなんでもUFOはないだろUFOは〜。

グノーシス主義の天使

Angel of Gnosticism

グノーシス主義とは、
「物質世界は魂を閉じ込めるための牢獄である」と考え、
魂を肉体から解放することを目指す宗教思想です。
この章では、グノーシス主義のなかでも、
キリスト教から発展した宗派の宗教文献に登場する、
善の天使アイオーンと、悪の天使アルコーンを紹介します。

illustrated by きつね長官

デミウルゴス

グノーシス主義とは?

「グノーシス主義」という思想を知っていますか? これは中東やヨーロッパを中心にユーラシア大陸全土に存在した思想で、この世界が悪の世界だと決めつける、我々天使にとっては認めがたい異端思想なのです。

グノーシス主義という宗教思想には、以下のような共通の特徴があります。
・この宇宙は、悪の神が善良な魂を閉じ込めるために作った牢獄である
・魂は悪神に「知恵」を奪われているので、宇宙の異常に気づくことができない
・修行によって「知恵」を取り戻せば、牢獄の宇宙から抜け出すことができる

この思想は「反宇宙的二元論」と呼ばれていて、キリスト教だけでなく、ユダヤ教、イスラム教、仏教などあらゆる宗教に「反宇宙的二元論を持つ、グノーシス主義的に変質した」宗派がありました。この本で取り扱うのは、特に記述がないかぎり、キリスト教が変質した「キリスト教グノーシス」です。

キリスト教とグノーシス主義の違い

「キリスト教グノーシス」では、正統的なキリスト教とは違った形で世界を解釈します。神や天使、キリストやサタンなど多くのものが、キリスト教の解釈とはまったく違う存在として紹介されているのです。その代表的な例を以下にまとめました。

キリスト教	グノーシス主義	
神	→ 偽の神	キリスト教徒が神とあがめるものは、グノーシスの解釈では、この世界を作った悪神です。
宇宙	→ 反宇宙	神が作ったという宇宙の実態は、悲惨な生が繰り広げられる悪の世界「反宇宙」です。
肉体	→ 魂の牢獄	人間の肉体は、善良な魂を閉じ込めるために悪神に作られた牢獄のようなものです。
天使	→ アルコーン	キリスト教徒が天使と呼んでいる存在は、悪の霊的存在「アルコーン」です。
イエス・キリスト	→ 魂の救済者	イエス・キリストは、人間の魂を救済するために宇宙の外から使わされた導き手です。
サタン	→ 人間の味方	サタンがエヴァに知恵の実を食べさせたのは、人間に知恵を与えて救うためです。

「キリスト教グノーシス」の天使と悪魔

キリスト教に神と天使と悪魔がいるように、キリスト教グノーシスにも、善と悪の性質を持つ霊的な存在がいます。

善の存在は「アイオーン」、悪の存在は「アルコーン」と呼ばれ、どちらも複数存在しています。

アルコーン（悪の霊的存在）

アルコーンとは、悪の世界「反宇宙」を創造したデミウルゴス（→ p82）が生み出した存在で、デミウルゴスの取り巻きとして地上を支配する邪悪な霊たちの総称です。名前の意味は、「高官、長官」というギリシャ語です。

アイオーン（善の霊的存在）

アルコーンとは正反対に、高位の神的な力を持つ善の霊です。名前にギリシャ語で「永遠」という意味があります。

アイオーンはデミウルゴスの反宇宙の外側で天国を管理していて、反宇宙を脱出した魂を迎え入れます。

> グノーシス主義は正統派のキリスト教からは「邪教だ！」とか「異端だ！」って迫害されてたのです。なんで迫害されたかは……もうわかりますよね？ みんなが崇拝している神様が「じつはできそこないの悪の神だ」なんて言われたら、キリスト教徒のみなさんが怒るのはあたりまえなのですよ！

最高神（のフリ）はつらいよ

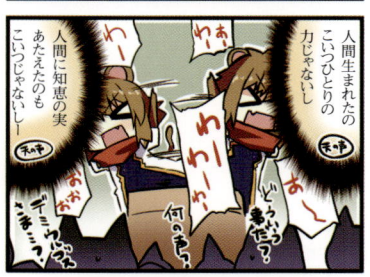

天国の廃棄物から産まれたデミウルゴスは宇宙の果てに自分の世界（箱庭）を作っていた

私こそが……最高神（カミ）だ！

ないわー

!?

人間生まれたのこいつひとりの力じゃないし

人間に知恵の実あたえたのもこいつじゃないし

どういうことだ

何の音

デミウルゴス様……？

ナンダロウナーソラミミカナーコワイナー

いつか嘘がバレるその日までがんばれデミウルゴス！

HAHAHA

悪の宇宙をクリエイト
ソフィア&デミウルゴス

英字表記：Sophia／Demiuruge　名前の意味：知恵／職人　別名：ソピアー、ピスティス・ソフィア／ヤルダバオト
種別：アイオーン／アルコーン　出典：グノーシス文献群『ナグ・ハマディ文書』など

ソフィア：過ちを犯したアイオーン

　キリスト教やユダヤ教の教義では、この宇宙はすべて、唯一神ヤハウェによって作られたことになっている。しかし80ページでも説明したとおり、キリスト教の異端宗派である「グノーシス主義」の教義では、神がこの世界を作ったことを否定している。我々が住む世界を生み出したのは、善の霊的存在「アイオーン」の一員である「ソフィア」という女性が誤って生み出してしまった、悪の霊的存在「デミウルゴス」なのである。

　2世紀に活躍したグノーシス主義者「プトレマイオス」（有名な天文学者とは別人である）の著作によれば、ソフィアはこの世界とは違う場所にある、至高の神プロパトールが作った理想世界「プレーローマ」に暮らす、高位の霊的存在「アイオーン」の一員である。彼女は男女15組、合計30名いるアイオーンのなかで最下位の存在だった。

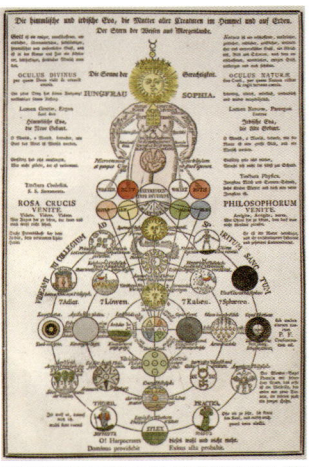

17世紀に実在が噂された架空の秘密結社「薔薇十字団」に関連する文書に描かれた、世界創造の概念図。中央上の女性がソフィアである。

　30名いるアイオーンたちのなかで、至高神プロパトールと直接会うことができるのは、最上位のアイオーンだけだった。神の偉大さに直接触れたいと願ったソフィアは、ここで重大な過失を犯してしまう。至高神への熱狂的愛情にとらわれたソフィアは、彼女のパートナーである「テレートス」という男性アイオーンを無視して、至高神のことを直接知ろうとしてしまったのだ。

　アイオーンの掟を破ったことで、ソフィアは理想世界プレーローマから転落しそうになってしまった。ほかのアイオーンの力で救われたソフィアは、自分を過ちに走らせた感情を自分から切り離し、外の世界に捨て去った。このときソフィアが切り離した"思い"が、のちに我々の住む世界の材料となるのである。

デミウルゴス：傲慢なるアルコーン

　ソフィアから切り離された"思い"は、プレーローマの外側で人格を得て、ひとりの霊的存在を生み出した。それが物質世界を作ったアルコーン、悪しき性質を持つデミウルゴスである。デミウルゴスの特徴は文献ごとに微妙に違い、文献によっては「ヤ

illustrated by あみみ

ルダバオト」という名前で呼ばれることもある。両性具有であり、蛇やライオンのような外見で、目からは日のような光が放たれているという。

　デミウルゴスはソフィアから切り離された"思い"のエネルギーから生み出された存在だが、受け継いだのはその力だけであり、自分がもともと何者だったのかは知らなかった。周囲を見渡したデミウルゴスは、この世の中に存在しているのは自分だけである、という大きな勘違いをしてしまったのだ。

　デミウルゴスは大地と七つの惑星からなる物質世界を作り出すと、さらに無数の不完全な天使「アルコーン」を生み出した。こうしたのちにデミウルゴスは「自分はこの世のすべてを作った」と勘違いし、傲慢にも自分を神と呼ばせたのである。

　デミウルゴスは「自分のほかに神はいない」とまで言い放っており、これはデミウルゴスの力の源となった、プレーローマに住むアイオーンたちをまったく無視した発言で、きわめて罪深いことだった。つまるところグノーシス主義は、ユダヤ教徒やキリスト教徒が「ヤハウェ」と呼んでいる唯一神の正体は、ヤハウェ自身が主張する全知全能な存在などではなく、自分より上位の存在がいることも知らない、愚かで傲慢な偽の神だと主張しているのである。

グノーシス主義者のお守りに刻まれた、頭部がライオン、胴体が蛇の怪物。これがアルコーン、デミウルゴスの姿だと考えられている。

グノーシス主義の天使

人類の創造とグノーシス宇宙の仕組み

　こうして世界の支配者となったデミウルゴスとアルコーンたちは、あるとき不思議な映像を目撃する。それは二本の手足と頭を持つ人間の姿で、プレーローマのアイオーンがデミウルゴスたちに見せたのだった。デミウルゴスたちはこの映像に模して、物質で人間をつくりあげるが、物質で作られた人間は動き出すことがなかった。デミウルゴスが自分の一部、すなわち母ソフィアから切り離された"思い"のエネルギーを注ぎ込むことで、人間はようやく動き出した。不完全な存在であるデミウルゴスは、自分で人間を作ることもできないのだ。

　ここで重要なのは、人間は、物質のなかに「ソフィアのエネルギー」を流し込んだ存在だということだ。ソフィアのエネルギー（魂）はもともと理想世界プレーローマに存在するべきものであり、なんとかしてプレーローマに帰ろうとする。しかし肉体という足かせ、宇宙という牢獄、アルコーンたちの妨害のせいで、魂がプレーローマに帰るのは難しい。

　そのためグノーシス主義の信者たちは、プレーローマに帰るために、禁欲的な生活を送る。こうして彼らは、物欲や生殖活動等、あらゆる物質的な欲求を捨て去ることで、自分の精神を肉体のくびきから切り離そうと考えているのだ。

ソフィアっていう名前は、日本語に訳すと「智慧」とか「上智」っていうの。外国語教育で有名な、東京の「上智大学」のお名前は、この「ソフィア」って単語からとった校名よ。キリスト教系の学校なのよね〜。

グノーシス主義の小事典

> 物質世界でデミウルゴスの手下をしてるのが、悪のアルコーン、外の世界で人間のために活動しているのが、善のアイオーンなんだっけ。キリスト教とは逆さまになってるから、たまにこんがらがるんだよな。

> だいたいそんな感じなのです。アイオーンもアルコーンもいろいろいて、まだぜんぜん紹介しきれてないですから、ここでまとめて紹介しちゃうのですよ。

アスタンファエウス

「オフィス派」の教義において、ヤルダバオト（デミウルゴス）が自分に似せて作った7名のアルコーンのひとり。水星の天使であり、アルコーンの王国で第3の門を守る役目を持っている。

アブラクサス

グノーシス主義の一派「バシレイデス派」で、至高の存在とされるアイオーン。下半身が二又の蛇、頭部がニワトリになった人間の姿で描かれる。

イルミネイター

グノーシス主義では、人間に知識をもたらし、魂を救いに導く者のことを「照らす者（イルミネイター）」と呼ぶ。旧約聖書偽典『アダムの黙示録』には、13種類のイルミネイターがどのように世界を照らしたかが説明されている。

エラタオル

ヤルダバオトが作った7大アルコーンのひとりで、犬の姿で出現する。

ガマリエル

『ナグ・ハマディ文書』にその名が登場する偉大なアイオーン。選ばれた者をプレーローマに連れて行く存在で、その名を刻んだ護符はお守りとして機能する。

ケムエル (→ p58)

グノーシス主義のケムエルは、天国の窓辺に立ち、イスラエルから捧げられる祈りを、天国の第7層を支配するアイオーンに取り次ぐ役目を果たしている。

サバオト

ヤルダバオトが作った7名のアルコーンのひとり。自分は神だと宣言したヤルダバオトが冥界に突き落とされたのを見て悔い改め、アイオーンによって天国の7層に引き上げられた。これを妬んだヤルダバオトの感情が、嫉妬という感情の起源となったという。

ドミエル

四大元素を支配するアルコーン。尊厳と恐怖、震動の支配者と呼ばれる。

プロノイア

デミウルゴスがアダムを創造した際、材料となる土を集めたり、自分の神経組織を材料として提供したアルコーン。名前の意味はギリシャ語の「神の摂理」に由来するものである。

ルミナリエス

神を取り囲む4名の偉大なアイオーンの総称。エレレト、オロイアエル、ダヴェイテ、ハルモジの4人組である。

セカイの嘘をおしえてあげる♥ サマエル

英字表記：Samael　名前の意味：神の毒、盲目の神　別名：サタン、ヤルダバオト
種別：アイオーン？　出典：ナグ・ハマディ文書「アルコーンの本質」など

人間に知恵を授けた蛇

「キリスト教グノーシス」にはさまざまな宗派がある。82ページで紹介したグノーシスの神話は、もっとも有名な宗派である「プトレマイオス派」の神話だ。別の宗派である「オフィス派」では、サマエルという存在が重要な役割を果たしている。

グノーシス主義の神話は、『旧約聖書』や『新約聖書』に書かれた物語を、グノーシス主義の理論にのっとって改変したような内容になっている。サマエルが活躍するのは、世界の創世を描いた『創世記』の内容を参考にした神話である。

この物語のなかで、デミウルゴスによってエデンの園に閉じ込められた最初の人間「アダムとエヴァ」は、『創世記』と同じように蛇によって誘惑され、エデンに生えている「知恵の樹」の果実を食べたせいで、エデンの園を追放されている。このときエヴァを誘惑した蛇の正体は、キリスト教ではサタンだとする説が有力だが、オフィス派の文献では「サマエル」または「ミカエル」と呼ばれているのだ。

この蛇（オフィス派ではサマエルと呼ばれる）は、理想世界プレーローマのアイオーン（天使）たちが送り込んだ存在だった。サマエルは人間に知恵を与えることで、人間の中に注ぎ込まれたソフィアのエネルギー（→p82）が物質世界から逃げだし、プレーローマに帰還するための足がかりを作ったのである。

その他グノーシスの「サマエル」と、ユダヤの「サマエル」

グノーシス主義の各宗派では、アルコーンの頭領である創造神デミウルゴス（→p84）のことを「サマエル」と呼ぶことがある。ここでいうサマエルとは、特定の天使や悪魔ではなく「盲目の神」という一般名詞として使われている。

デミウルゴスが「自分は至高の創造神だ」と勘違いをしたとき、プレーローマのアイオーンたちから「サマエル、おまえは間違っている」という声が届いた。つまりデミウルゴスが自分は偉いと勘違いしたことに対して"現実が見えていない愚か者"という意味で、デミウルゴスを「盲目の神(サマエル)」と呼んでさげすんだのである。

なお、グノーシス主義のサマエルの発祥は、ユダヤ教の天使として生まれ、のちに悪魔とも認識されるようになったサマエルである。ユダヤのサマエルはもともと人間の行動を妨害する天使の筆頭であり、サタンと同等の存在だった。

> オフィス派って、お仕事場のオフィスとは違うのですよ。このオフィスはギリシャ語で「蛇」という意味で、楽園の蛇から知恵を授かったことを重視するのでこの名前がついたそうです。

illustrated by しろきつね

天使よりイエスよりえらいひと
メルキゼデク

英字表記：Melchizedek　名前の意味：神ゼデクは我が主　別名：シディク（フェニキア神話）
種別：アイオーン　出典：ナグ・ハマディ文書『メルキゼデク』など

神に比肩するアイオーン

　メルキゼデクは『旧約聖書』に登場する人名であり、ユダヤ教やキリスト教における、聖書以外の宗教文献では、天使の名前でもある。そしてキリスト教グノーシスの一派では、救世主イエス・キリストよりも偉大な存在として紹介されることもあるなど、各宗派で注目を集める存在だ。

　数あるグノーシス宗派のなかでメルキゼデクを特に重視したのは、エジプトのナイル川河口付近にあった都市「レオントポリ」に設立された禁欲的な宗教共同体「メルキゼデク派」である。初期キリスト教の聖職者、聖ヒッポリュトスが、キリスト教異端宗派の教えがいかに間違っているかを説明した文書『全異端反駁（はんばく）』によれば、メルキゼデク派の人々は、メルキゼデクを「イエス・キリストよりも偉大な力を持つ」アイオーンだと考えていた。

　また、1945年にエジプトで発掘されたグノーシス主義の宗教文献群『ナグ・ハマディ文書』には、全編をメルキゼデクに捧げた文書『メルキゼデク』があり、メルキゼデクを光の最高司祭にして、アイオーンの総指揮官として悪のアルコーンと戦う存在だと紹介している。しかもこの本によると、メルキゼデクは「聖霊に等しい存在」だという。聖霊とは神から発せられるエネルギーのようなもので、特にキリスト教では、神とイエスと聖霊を「三位一体（→p186）」の存在とするほど重要視している。つまり聖霊と等しいメルキゼデクは、神そのものと比較できるくらい偉大な存在だというわけだ。

そもそもメルキゼデクとは何者か？

　グノーシス主義のアイオーン「メルキゼデク」の元になったのは、旧約聖書『創世記』にわずか1カ所だけ登場する同名の人間「メルキゼデク」だ。

　メルキゼデクは、預言者モーセが十戒の石版を授かるよりもはるか昔、アブラハム（→p46,179）という人物がユダヤ人の族長だった時期に、現在のイスラエルの首都エルサレム（旧名サレム）で王と祭司長をつとめていた。この当時、エルサレム周辺を支配していたのはユダヤ人ではなく、その王にして祭司であるメルキゼデクも唯一神ヤハウェを信仰していたわけではなかったのだが、メルキゼデクはアブラハムにパンとワインを与え、以下のような言葉でアブラハムを祝福している。

　「願わくは天地の主なるいと高き神が、アブラムを祝福されるように。願わくはあなたの敵をあなたの手に渡されたいと高き神があがめられるように」

　この言葉は、当時メルキゼデクが統治していたイスラエルが、アブラハムの子孫に

illustrated by 赤目

与えられるという、ユダヤ教の伝統的な教義の土台となるもので、それをアブラハムに伝えたメルキゼデクはユダヤ教の信仰上重要な人物として、後世さまざまな文献で賛美されるようになったのだ。

　例えば新約聖書『ヘブル人への手紙』では、最高の祭司は、メルキゼデクと同じように神によって直接任じられるという記述があるほか、イエスのことを「メルキゼデクのように永遠の祭司になった」と書き、間接的にメルキゼ

アブラハムたちユダヤ人が、異民族との戦争に勝利した祝いに、パンとワインと祝福を与えるメルキゼデク（右）。17世紀オランダの画家、ルーベンス画。

デクの偉大さを強調している。また、旧約聖書偽典『スラヴ語エノク書（第2エノク書）』では、メルキゼデクは方舟伝説で有名なノアの甥であり、幼いころから大天使ミカエル（→p16）に育てられた。大洪水が起きる前、ミカエルはまだ若いメルキゼデクをエデンの園に連れて行き、彼を偉大な祭司にして、神に仕える民族（ユダヤ人）を最初に統治する者に定めたと書かれている。

グノーシス主義の天使

天使になったメルキゼデク

　メルキゼデクは、単なる偉大な祭司という立場にとどまらず、キリスト教やユダヤ教の文献で、しばしば天使として紹介されている。

　多くの神学者は、メルキゼデクを"美徳"を意味する階級、9階級の第5位である「力天使」の一員としている。その天使の9階級を定めた神学者、偽ディオニシウスは著書『天上位階論』で、メルキゼデクを「神の最愛の位階の天使」「神の偉大な友であり、唯一の真の神へとみずからを高める道を人々に教えた」と定義した。

　新約聖書『ヘブライ人への手紙』では、メルキゼデクを「彼には父がなく、母がなく、系図がなく、生涯の初めもなく、生命の終りもなく、神の子のようであって、いつまでも祭司なのである」と紹介した。この説明には、神の子として処女受胎のうえ誕生し、死後に復活して天へ引き上げられたイエス・キリストとの無視できない共通点が見られる。偽ティルトゥリアノスという神学者はさらに踏み込んで、「イエス・キリストが人間に対して行ったことを、天使に対して行った」という解釈を示した。また、19世紀に発掘された『死海写本』の文献では、メルキゼデクは天上の法廷の天使の上に位置し、審判の日に悪魔の首領ベリアルとその部下のデーモンたちに罰を与えるという。

　このようにメルキゼデクは、ときには天使すらも超えた神聖な存在として、ユダヤ教徒、キリスト教徒の信仰の中に存在しているのである。

> ノアさんのお船に乗ってた動物さんにえさをあげた人も、メルキゼデクって名前らしいのだ。
> メルキゼデクさん、いきものがかりだったのだー。

イスラム教の天使
Angel of Islam

イスラム教は、ユダヤ教やキリスト教と同じように、
『旧約聖書』を聖典とする宗教です。
四大天使をはじめとする、
ユダヤ教やキリスト教の主要な天使が
イスラム風の呼び名で登場するほか、
イスラム教だけに登場する独自の天使も数多く存在しています。

illustrated by きつね長官

イスラーフィール

イズラーイール
瞳の数は60億

英字表記:Izra'il　名前の意味:神が助ける者　別名:アズラーイール、アズラエル（ユダヤ教）
出典:イスラム教の教典『クルアーン』の注釈など

イスラム教の四大天使

　キリスト教にミカエル、ガブリエル、ラファエル、ウリエルの四大天使がいるように、イスラム教でも4名の天使が四大天使と呼ばれている。イスラム教の四大天使は、ガブリエルとミカエルに相当する「ジブリール」と「ミーカール」に加え、復活の天使「イスラーフィール」（→p96）と、この「イズラーイール」である。

　イズラーイールは非常に巨大な天使で、地面の上に立つと、その体は7層あるイスラム教の天国を突き抜け、天国の最上層に頭が接するほどの身長があるという。その外見は、7

イズラーイールたち四大天使を背後に従えたムハンマドのイラスト。

万の足と4万の翼を持ち、目と舌は世界の総人口と同じ数という異形じみたものだ。しかしイスラム教の伝承では、イズラーイールの外見は「生命からの解放を容易にするため、信者にとって心地よいものになっている」とされており、見て不快に感じる外見ではないようだ。

　イズラーイールは人の生死と霊魂そのものを取り扱う能力を持ち、死の天使と呼ばれている。彼は片手に、すべての生ける者の名前が載った本を持っていて、人間が生まれるたびに本にその名を書き込み、死ぬたびに本から名前を消していくのだ。こうして死を迎えた死者の魂は、イズラーイールに呼びつけられ、彼の巨大な指の間を通って、定められた死後の世界へ向かうという。このとき彼は、人間を含むすべての「神が作った創造物」を自分の視野におさめているので、霊魂の取り扱いを漏らすことはけっしてなく、イズラーイールが魂の取り扱いを決めるまで、どんな魂も地上を離れることはないという。

　ユダヤ人の魔術王として有名なソロモン王が登場する伝承では、イズラーイールは自分の任務について、「右手で、アッラーが唯一の神であることを信じる者の魂をとり、絹の衣で包んで天に昇らせる。左の手では不信心者の魂をつかんで、松ヤニを塗りつけ、地獄へ下らせる」と説明している。

> イズライール様は人間の命を刈り取る天使ですけど、誰が死ぬことになるかは、神様に命令されるまでわからないそうです。神様が作った人間さんを、われわれ天使が勝手に殺しちゃうのはまずいですもんね〜。

死後にあらわれるイズラーイール

　イズラーイールは、神から死すべき人間のリストを受け取り、その魂を肉体から引き離して、死後の世界に送り込む。このときイズラーイールは、死者の魂になんらかの形で、自身の存在を知らせることがあるという。

　死者が『旧約聖書』のモーセや、イスラム教の開祖ムハンマドのような偉大な人物だった場合は、イズラーイールはその姿を死者の前にあらわし、丁重に案内役をつとめる。ルーミーという高潔な詩人が死の目前にあったときは、イズラーイールは美しい青年の姿であらわれた。

　イズラーイールは外見を見せずに死者に干渉することもあり、ある者が薫り高い薔薇の痛みのなかで死んだかと思えば、別の者は腐臭に満ちたなかで死を迎える。こうしてイズラーイールは、行いに応じて死に方に区別をつけているのだ。

最初の人間アーダムの創造

　イスラム教の伝説では、最初の人間アーダム（『旧約聖書』のアダムに相当）の創造はアッラーだけでなく、イズラーイールたち四大天使とともに行われた。

　あるときアッラーは四大天使を呼び出して、最初の人間アーダムを製造する材料にするため、四大天使を地上の4隅に派遣し、7すくい分のホコリを集めさせた。ところが4名の天使たちのなかで、任務を成功させたのは、人間の肉体と魂を分ける力を持つイズラーイールだけだったという。

ユダヤ教のアズラエル

　イスラム教の天使イズラーイールは、イスラム教誕生以前からユダヤ人の伝承や聖書外典、偽典などで活躍した死の天使「アズラエル」の名前をアラビア語読みにして、独自の神話を追加したものだ。ユダヤ教のアズラエルは、何人かいる「死の天使」のひとりであり、死の苦しみにもがく悪人から魂を抜き取る存在だと紹介されている。

　アズラエルの名前は中世のオカルト本にもあらわれ、『ソロモンの鍵』という魔導書では、鏡の中にアズラエルの姿を映し出す呪文や、アズラエルを呼び出して知識を授かる呪文が紹介されている。また、19世紀末のニューヨークでは、この天使の名前を題材にした『アズラエル』というオペラが上演された。この作品はオランダのフランドル地方に伝わる昔話を原作とし、天使アズラエルと天使ネフタの愛をテーマにした内容になっている。

アズラエルたち「死の天使」を題材にした1881年の絵画。イギリスの女流画家イーヴリン・ド・モーガン画。

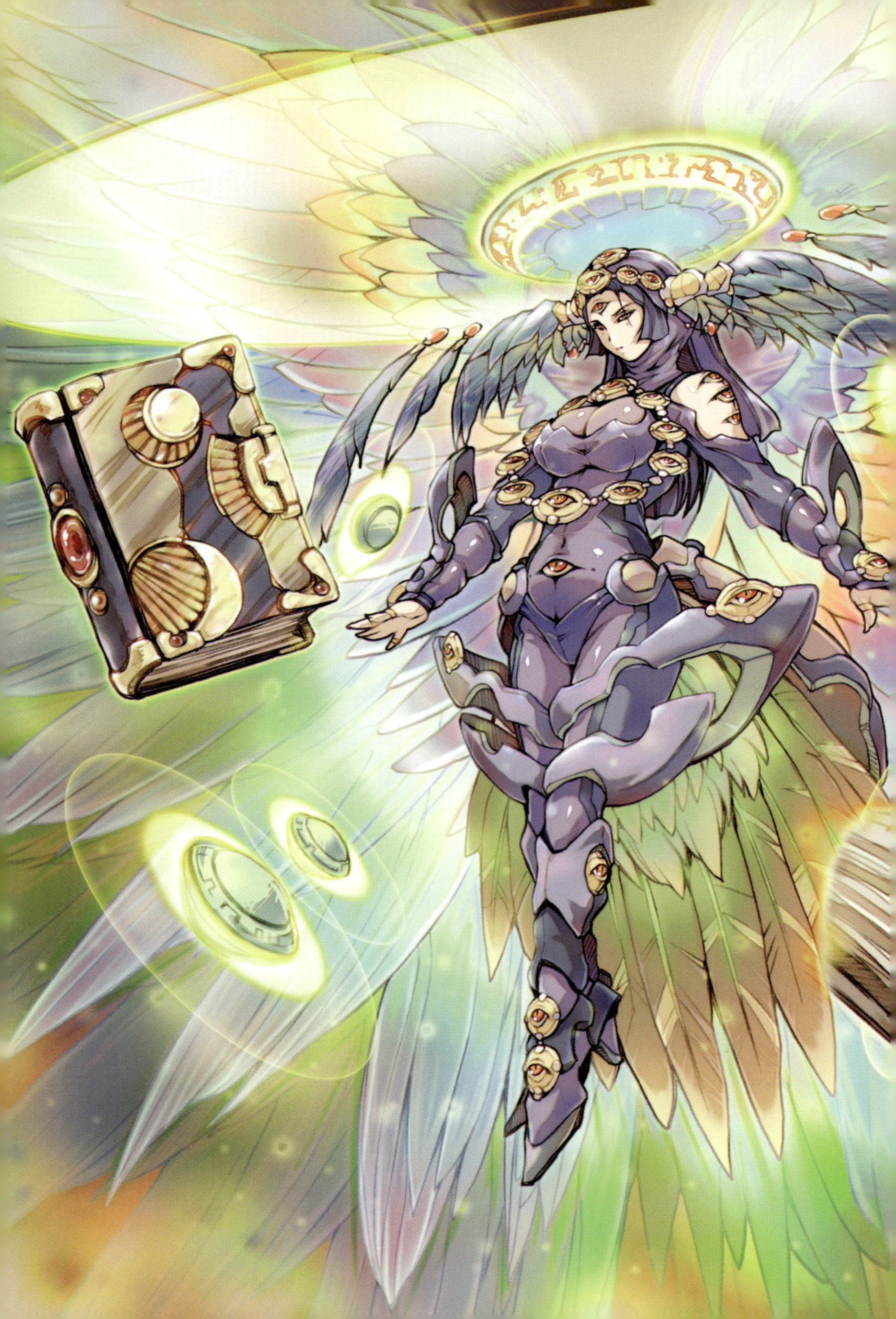

illustrated by 久彦

イスラーフィール

ラッパふた吹きで世界をリセット

英字表記：Israfil　名前の意味：燃やす者　別名：イスラフェル、サラフィエル
出典：預言者ムハンマドの言行集『ハディース』

慈悲と音楽と復活の天使

　イスラーフィールは、音楽と復活の天使として、死の天使イズラーイールと対比される天使であり、イスラム教の四大天使の一角を占めている。その外見は地上から天界まで届くほど巨大で、4枚の翼をはやし、多数の舌と口を持ち、その身は毛に覆われているという。手にはラッパを持った姿で描かれることが多い。

　この天使はたいへん慈悲深い性格で知られている。イスラーフィールは、昼に3回、夜に3回、天界から地獄を見下ろすのだが、地獄の光景を見るたびに悲しみにうちひしがれて大量の涙を流すのだ。その涙は、放っておくと地上を水浸しにするほどの量があるので、アッラーはそのたびにイスラーフィールを泣き止ませなければいけないという。

図鑑『創造の不思議と存在の倒錯』（シリア、14〜15世紀頃）に掲載されたイスラーフィールの挿絵。

世界の終末とイスラーフィール

　ユダヤ教、キリスト教、イスラム教には、ある日世界の終わりがおとずれ、すべての死者が復活して神の裁きを受けるという「最後の審判」の思想がある。イスラーフィールはこの「世界の終わり」において重大な役目を果たす天使だ。

　イスラーフィールを「音楽の天使」とする原因のひとつに、彼が手に持つラッパがある。イスラーフィールは世界の終末の日に、ラッパを2回吹き鳴らす。最初のラッパで、そのとき生命を持っていた生物がすべて死滅し、山は崩れて大地が真っ平らになる。そして2度目のラッパで、ありとあらゆるそれまでの死者が蘇り、アッラーの裁きを受けることになるのだ。

　アメリカの天使研究家ジョン・ロナーの《天使の事典》には、イスラフィールのラッパについておもしろい記述がある。イスラフィールのラッパは、内部が蜂の巣状になった動物の角で、最後の審判が来る日まで、蜂の巣の部屋ひとつひとつに、死者の魂がまどろんでいるというのだ。

> イスラーフィール様には4枚の翼があって、2枚の翼で世界の東西を押さえて、3枚目の翼を衣服のかわりに、4枚目をヴェールがわりにしているという説があります……はっ、これがチラリズム!?

イスラム教の天使

illustrated by けいじえい

その正体は神か天使か？
イーサー

英字表記：Isa ibn Maryam　別名：イエス・キリスト
出典：イスラム教の聖典『クルアーン』など

イスラム教におけるイエス・キリスト

　キリスト教の救世主「イエス・キリスト」は、イスラム教でも大きな存在感を放っている。イスラム教徒はイエスを「イーサー」と呼び、偉大な預言者として尊敬するほか、彼を神に作られた「天使」だと解釈することもあるのだ。

　イスラム教では、イーサーは「イスラム教の神アッラーが、処女マルヤムに精霊を吹き込んで処女懐胎させた結果生まれた子供」だとして、あきらかに人を超えた存在だと考えているが、キリスト教が教えるような神の子だとは認めていない。イエスはその両者の中間、天使に近い存在だというわけだ。

　イスラム教では、生まれた直後に言葉をしゃべり、死者をよみがえらせる奇跡を行ったなど、新約聖書の『福音書』で紹介されたイエス・キリストの業績の多くを認め、イーサーはアッラーの言葉を人々に伝えるために使わされた預言者だと考えている。ただし『福音書』の有名な出来事のなかに、イスラム教徒が認めていないものがひとつある。それはキリストが「十字架刑で死亡した」という出来事だ。イスラム教では、十字架の上で死んだのはイエス本人ではなく影武者であり、当のイエス自身はアッラーによって天国に引き上げられたと考えている。

　イーサーの業績のうちイスラム教にとってもっとも重要なのは、イーサーがイスラム教の創始者である「ムハンマド」の登場を預言したことだ。イーサーはイスラム教徒が敬愛する創始者ムハンマドの権威を保証する、イスラム教にとっても重要な預言者だったのである。

イスラム教と聖書の関係

　イスラム教は、キリスト教やユダヤ教の発展形として生まれた宗教だ。そのためイスラム教の聖典『クルアーン』には、『旧約聖書』や『新約聖書』の記述と重複する物語が多数掲載されている。

　ただし『クルアーン』に掲載された聖書の物語は、原典とはやや違った内容になっている。これはイスラム教徒によれば、「キリスト教とユダヤ教の聖書の内容は、キリスト教徒やユダヤ教徒にゆがめられている」のが原因で、『クルアーン』に掲載された物語こそが、ゆがめられていない、正しい神の教えなのだという。

> キリスト教徒がイスラム教に改宗したいなら、「三位一体」を信じてないことを証明するために、「イーサーは神の僕にして使徒」って宣言しなきゃいけないぜ。日本のキリシタンがやった踏み絵みたいな？

イスラム教の天使

illustrated by あみみ

ドS天使様に責められたい！
マーリク

英字表記：Malik,Maalik　名前の意味：王
別名：マレク　出典：イスラム教の聖典『クルアーン』

イスラム教の地獄の管理者

　マーリクは、イスラム教の聖典『クルアーン』にも名前が登場する天使だ。彼は死んだ人間の魂を地獄に連れてきたり、地獄を管理し守る存在である。その性格はたいへん厳格かつ無慈悲だという。

　『クルアーン』63章74節からの記述によると、イスラム教の地獄「ジャハンナム」は7層に分かれた構造になっており、大きな罪を犯した者は、（"最後の審判"が終わるまで）永遠に地獄から抜け出すことができない。この地獄を支配しているのは悪魔ではなく、高潔で厳格な天使マーリクである。彼の役目は地獄を管理し、地獄に堕ちてきた悪人の魂を、地獄の業火で苦しめることだ。また、マーリクの部下には19名の「ザバーニーヤ（乱暴に突く者という意味）」と呼ばれる天使たちがいて、不信心者の魂を棒で突く責め苦を与えている。

　地獄に落とされてきた悪人たちは、マーリクとザバーニーヤにさんざんに責められて、苦しみのあまり「早く自分たちの息の根を止めてくれ」と懇願するのだが、マーリクは「いつまでもそうしていろ」と言い捨てるばかりだという。ただしどのような悪人であっても、アッラーの偉大さをたたえる者なら、ザバーニーヤたちから棒で突かれる方の責め苦からは逃れられるという。

　マーリク自身は、アッラーをたたえる者にもそうでない者にも平等に責め苦を与えるが、アッラーをたたえる者には比較的おだやかな態度で接する。なぜならアッラーを信じる者は、いまは地獄にいるとしても、いずれアッラーに救い出されて天国に行けることを知っているからだ。

炎渦巻くイスラム教の地獄

　イスラム教では、悪しき死者の魂はただちに地獄へ行くという考え方と、一時別の場所に置かれ、最後の審判のあとに地獄へ送られる（→p191）という考え方の両方がある。マーリクは、最後の審判の前も審判の後も、変わらず地獄の管理者をつとめる存在だ。『クルアーン』によれば、イスラム教の地獄は地下世界にあり、その光景は中東の荒れ果てた砂漠に似ている。地獄の中には灼熱の炎、底なしの穴など7つの階層があり、さまざまな方法で罪人を苦しめるのである。

> 2004年のスマトラ地震で多くのイスラム教徒が亡くなったとき、衛生面の事情から、遺体を火葬するかどうかで大問題になりました。イスラム教では火で焼かれる＝地獄ですからね、怒るのも無理はないのですが……

illustrated by 美弥月いつか

赤点信者はオシオキ決定！
ムンカル＆ナキール

英字表記:Munkar／Nakir　名前の意味:拒絶する者／否定する者
別名:モンケル／ナキル　出典:預言者ムハンマドの言行録『ハディース』など

おしおき担当、天使コンビ

　100ページで説明したとおり、イスラム教の死後の世界観には、死者の魂は死んですぐ裁判を受け、天国や地獄に送られるという考え方と、死後は天国でも地獄でもない別の世界「バルザフ（→p191）」で待機するという考え方の2種類がある。預言者ムハンマドの発言と行動をまとめた内容で、『クルアーン』に次ぐ聖典とされている『ハディース』には、後者の死生観で重要な役割を果たす2人組の天使「ムンカルとナキール」が登場する。

　ムンカルとナキールは、伝承によっては黒っぽい肌に青い目の天使だとされることがある。彼らはつねに2人組で行動する天使で、与えられた任務は死者の魂の尋問（じんもん）である。彼らの名前は『クルアーン』には書かれていないが、『クルアーン』の6章や47章に、死後の不信心者に罰を与える天使がいるという記述があり、この天使がムンカルとナキールのことだと解釈されている。

死後の魂への尋問と罰

　イスラム教徒が死んで墓に埋められると、ふたりの天使はその日のうちに墓にあらわれ、死者の体をまっすぐに置き直す。そして墓にとどまる死者の魂に向かって、矢継ぎ早に質問を繰り出すのだ。

　ムンカルとナキールが死者に投げかける質問は、イスラム教の預言者ムハンマドについて思っていることを答えよというもので、死者の信仰心を確かめる狙いがある。ふたりに対して「ムハンマドは神の使徒」と答えた死者の魂は罪がないとされ、終末の日まで墓の中で安息の日を過ごす。だが正しい答えを返さなかった者や、嘘をついた者は不信心者とみなされ、最後の審判の日まで、鉄の金槌でふたりの天使に叩かれ続けるという。しかもムンカルとナキールの尋問は巧妙なもので、信者が本当の信仰心を持っていないかぎり、「ムハンマドは神の使徒」だと正しく答えることはできないという。

　しかし罪人たちにも1週間に1日だけ、苦痛から解放される日がある。それはイスラム教の休日である安息日で、この日だけはムンカルとナキールも罪人を叩かないので、罪人も苦痛から逃れて安らかに過ごせるという。

> ムンカル様とナキール様が青い眼の天使と紹介されることがあるのは、おふたりが邪眼の使い手だってことのアピールじゃないかという説があります。なんでもイスラム的には青い眼＝邪眼なんだそうですよ。

illustrated by 蒼月しのぶ

イスラム教の天使小事典

イスラム教のオリジナルの天使は、ここで紹介した方々以外にもたくさんいますよ。お会いできなかった天使のみなさんから、とくに６名を選んでご紹介しちゃいます！

カルサーイール

イスラム教の開祖ムハンマドのいとこであるイブン・アッバースによれば、カルサーイールは天の７層のうち第４天にいる天使である。民間信仰では、この天使の名はジン（悪霊）を追い払うために用いられる。

ハファザ

イスラム教の伝説によると、人間には４人のハファザがついており、ジンやその他の悪霊から守られている。ふたりのハファザは昼に活動し、夜になるともうふたりに交代する。その交代の隙を狙ってジンが優位に立とうとするので、夕暮れと夜明けはイスラム教徒にとって危険な時間なのである。

またハファザは記録天使でもあり、人間の行動を善悪に関わらずすべて記録している。その記録は最後の審判の日に証拠として提出される。
ちなみに『クルアーン』の「カーフ章」「裂ける章」には、"キラムル・カティビン"という、ハファザとほぼ同じ属性を持つ天使が登場。「保護者たちと高貴な書記たち」と呼ばれている。

ハールート＆マールート

『クルアーン』の『雌牛章』に登場する天使。ふたりは古代バビロニアの都市バビロンで人間たちに魔術を教えた。人々のなかには、夫と妻のあいだを引き離す術を学び、来世の幸福を失ってしまう者もあらわれたが、ふたりは「わたしたちは試みるだけだ。不信心になってはいけない」とあらかじめ告げており、神の意志に反して害悪を人間にもたらしたわけではない。

また別の伝説によれば、楽園を追われるアーダームを非難したふたりは、やがてみずからが神に試されることになった。そこでふたりは美しい人間の女性を追いかけ、飲酒や殺人という罪を犯してしまう。またうかつにも神の秘密の名を女性に漏らしてしまったため、女性は天に引き上げられて金星となった。ふたりは最後の審判の日まで、バビロニアの井戸に逆さ吊りにされる罰を受けている。

ブラーク

『クルアーン』の『夜の旅章』に登場する、預言者ムハンマドが天に昇ったときに乗っていたとされる存在。ただし『クルアーン』にはその特徴は「運んだ者」という一語しか書かれていない。

後世のイスラム教注釈者の解釈によって、ブラークは半ばラバで半ばロバの白い獣となり、顔は人間の少女、耳は長く背に翼があり、貴石と宝石で飾られた鞍をつけていることになった。

リドワン

リドワンはイスラムの教義において、地上の楽園の入り口にいる天使。「楽園の管財人」「門番」などと呼ばれる。アラブの物語集『千一夜物語』などにその名が登場する。

ゾロアスター教の天使

Ahuras of Zoroastrianism

紀元前のペルシアで生まれた宗教「ゾロアスター教」は、
唯一神アフラ・マズダの下に
無数の天使（アフラ）たちが従う宗教です。
ユダヤ教やキリスト教における、神と天使と人間の関係は、
このゾロアスター教の天使観をもとして
生み出されたのではないかという説があります。

illustrated by きつね長官

ハオマ

聖なる不死者の控えめリーダー
スプンタ・マンユ

英字表記：Spenta Mainyu　名前の意味：聖なる霊
種別：アムシャ・スプンタ　出典：ゾロアスター教の聖典『アヴェスタ』

神の力を与えられた創造の最高天使

　キリスト教よりも1500年以上前から存在していたという宗教「ゾロアスター教」は、世界で唯一の神である創造神"アフラ・マズダ"を信仰対象とし、その配下に無数の天使がいるという、ユダヤ教やキリスト教とよく似た構造を持つ宗教だ。

　創造神アフラ・マズダの下には、キリスト教でいう7大天使のように、「アムシャ・スプンタ（聖なる不死者）」という、神の意志を体現する7名の天使が存在している。スプンタ・マンユは、このアムシャ・スプンタのリーダーで、アフラ・マズダの分身ともされる最高位の天使であり、悪魔（ダエーワ）の首領アンラ・マンユと敵対関係にある。その役割は、アフラ・マズダの創造の機能を代行することであり、この世界を作り出したのはスプンタ・マンユだということになっている。

　ところがこのスプンタ・マンユは、最高位の天使とは思えないくらい不安定な立場にいる。ゾロアスター教の教義は時代ごとにかなり違いがあるのだが、スプンタ・マンユはゾロアスター教の長い歴史のうち前半の時代だけで登場し、後半の時代には登場しなくなってしまう。ゾロアスター教後半期の教義では、本来スプンタ・マンユがつとめるはずの「アムシャ・スプンタ」の最高位を、神であるアフラ・マズダ本人がつとめているのである。

スプンタ・マンユはなぜ消えたか？

　スプンタ・マンユが消えた理由はふたつある。ひとつは、スプンタ・マンユはほかの天使と違って、アフラ・マズダの創造の役割を切り取ったような存在だったので、天使としての独自性が薄く、区別がつきにくかったこと。もうひとつは、前半期のゾロアスター教にの教義には矛盾があり、それを解消するにはアフラ・マズダ自身が「アムシャ・スプンタ」の最高位につく必要があったことだ。

　ゾロアスター教には「二元論（→p189）」という思想があり、すべての善なる者と悪しき者は1対1で対立している。スプンタ・マンユの対立者は悪魔の首領アンリ・マンユなので、こうすると善なる創造神であるアフラ・マズダの対立者がいなくなってしまうのだ。後期の教義では、スプンタ・マンユを消滅させ、アフラ・マズダとアンリ・マンユを直接対立させることで、この矛盾が解消されている。

> ゾロアスター教の天使って、かならず「フラワシ」って守護天使がついてんだけど、スプンタ・マンユだけはフラワシがいないらしいな……ええっと、ハニャ天、守護天使になってあげたら？

illustrated by しおこんぶ

よい子のお手本教えます♪
ウォフ・マナフ

英字表記：Vohu Manah　名前の意味：善意　別名：ワフマン
種別：アムシャ・スプンタ　出典：ゾロアスター教の聖典『アヴェスタ』

善悪の見分け方を教える天使

　ウォフ・マナフは、ゾロアスター教の7名の最高天使「アムシャ・スプンタ」のなかで、スプンタ・マンユに次いで2番目に偉大とされ、名前には「善意」という意味がある。その名のとおりウォフ・マナフは、人間に何が善で何が悪かという区別を教え、人間が善行を積めるように助ける天使である。また、彼は人間の行動を記録し、死後の審判にそなえる天使でもある。

　ゾロアスター教の死後の世界では、死者の魂は天使によって天秤にかけられ、生前の行いを調査される。このときウォフ・マナフがつけていた生前の行動記録が参照され、悪行よりも善行のほうが多ければ、死者の魂は天国へ行くことができるのだ。ウォフ・マナフは、審判を終えて、天国につながる「チンワト橋」を渡りきった善良な死者を最初に出迎え、「ウォフ・マナフの住居」という別名を持つゾロアスター教の天国へ迎え入れるのだという。

　後期のゾロアスター教では、ウォフ・マナフは家畜の守護者であり、家畜を大切に扱う信者を見ると喜ぶとされている。

ゾロアスターとウォフ・マナフ

　ゾロアスター教は、ペルシャ地方の土着信仰を土台にして、ゾロアスター（ザラシュトラ）という人物が作り出した宗教だ。ゾロアスターは、自分のことを神から啓示を受けた預言者と称し、神や天使との出会いを語った。その伝説のなかで、ウォフ・マナフはゾロアスターともっとも頻繁に接触している。

　まずウォフ・マナフは、ゾロアスターの両親の前にあらわれ、身ごもった子供が神の加護を受けた子供だと告げた。ゾロアスターが産まれると、悪魔たちは彼に暴れ牛をけしかけて殺そうとするが、動物の守護天使ウォフ・マナフの力で、牛たちはゾロアスターを傷つけずに素通りした。

　その後、ゾロアスターは30歳のときにウォフ・マナフと直接対面している。ウォフ・マナフは、正義と天則を求めるアフラ・マズダを神のもとに連れて行き、そこでアフラ・マズダの教えに目覚めたのだ。その後もウォフ・マナフはたびたび彼を手助けし、ゾロアスター教の布教に力を貸している。

ゾロアスター教の天使

　ゾロアスター教では、天使と悪魔のバトルはガチタイマン！　ウォフ・マナフのライバルは「悪魔」のアカ・マナフ様。人間の善悪の基準をぶっこわしてナチュラルに悪事をさせるすげーお方だぜ！

illustrated by ふみひろ

豊かな暮らしをプレゼント！
アナーヒター&アシ

英字表記：Anāhitā ／ Ashi　名前の意味：清浄　報酬　別名：アナーヒト／アハリシュワング
種別：ヤザタ　出典：ゾロアスター教の聖典『アヴェスタ』など

豊かさをもたらす女性天使たち

　ゾロアスター教の天使には３つの種類がある。最上位の天使は七大天使「アムシャ・スプンタ」、中級の天使が「ヤザタ」、下級の天使を「フラワシ」という。ここで紹介するアナーヒターとアシは、どちらも「ヤザタ」に属する女性天使だ。

　アナーヒターは水の天使である。世界が創造されたとき、世界中を豊かな水で満たしたのは彼女だ。海と川などありとあらゆる水は、アナーヒターが持っている水瓶から流れ出たものなのだ。

　アシは、創造神アフラ・マズダの娘にして太陽の天使であるミスラ（→p112）の妹とされる、黄金色の美女と呼ばれる天使だ。彼女は人間に、努力に値する利益や幸運をもたらす存在であり、女性を守る天使でもある。

中位の天使「ヤザタ」とはどんな存在か？

　ヤザタとは、古代ペルシアの言葉で「信仰に足る存在」という意味の単語だ。ゾロアスター教誕生前のペルシアでは、ヤザタとは神々すべての呼び名だった。

　ゾロアスター教が、創造神アフラ・マズダを唯一の神とする一神教として誕生すると、その他の神々（ヤザタ）は、天使としてゾロアスター教に取り込まれた。ゾロアスター教の理念をあらわす「アムシャ・スプンタ」が最高位の天使となり、ヤザタ（神々）はまとめて中級の天使と位置づけられたのだ。本書で紹介しているヤザタたちも、大部分がもともとペルシアで神として信仰されていた存在だ。例えばアナーヒターは、ペルシアで非常に人気のある水の女神だった。

　ゾロアスター教が生まれてから時代が進むにつれ、ゾロアスター教の信者の多くは、最高神アフラ・マズダや、最高位の天使であるアムシャ・スプンタよりも、中級天使であるヤザタのほうを深く信仰するようになっていった。なぜならアフラ・マズダやアムシャ・スプンタは、正義や善意など倫理的なものを体現する抽象的な存在であるのに対し、ヤザタは土着の神出身のため、「幸福」「水の恵み」「安産」「豊作」など、生活の向上につながる身近な御利益を授けてくれるからだ。

　けっきょく人間は、堅苦しい宗教的な正義よりも、実際の利益を与えてくれる存在を選んだというわけである。

> アナーヒター様は、金の服、金の靴、金の装身具を身につけた全身金ピカの天使様なのです。農業、牧畜、戦争、知恵という感じで、いいものならなんでももたらしてくれるスーパー天使様ですよ！

illustrated by 大山樹奈

神様並みに偉いんです！
ミスラ

英字表記：Miθra　名前の意味：契約　別名：ミトラ、ミフル、ミトラス
種別：ヤザタ　出典：ゾロアスター教の聖典『アヴェスタ』など

中級天使ヤザタのリーダー

　ミスラは、ゾロアスター教の中級天使"ヤザタ"の一員でありながら、創造神アフラ・マズダと同等の偉大な存在と呼ばれる、特異な天使である。

　ゾロアスター教の聖典『アヴェスタ』に収録された、天使ミスラをたたえる賛歌『ミフル・ヤシュト』によれば、ミスラは千の耳と万の目を持つ長身の天使で、朝になると太陽よりも早く「ハラー山」という山の頂上にのぼり、そこから人間の行いを見守り、悪事を行う人間がいないか監視するという。また、手には天秤を持った姿で描かれることが多い。

　ミスラの役割は、おもに司法、牧畜、戦闘の3つに分けられ、なかでも司法の天使としての機能が重視される。

　まずミスラは、ふたりの同僚の天使とともに死者の魂を裁く裁判官だ。彼は手に持った天秤に、死者が生前に行った善行と悪行をのせ、どちらが多いかを調べる。善行のほうが多ければ死者は天国に行き、悪行が多ければ地獄に落ちるのだ。さらにミスラは契約の守護者であり、たとえ相手が悪人であっても、結んだ契約は守らなければならないと教える。またミスラは、他人をあざむいたり嘘をつくことを特に嫌う。ゾロアスター教では、嘘をつくことを「ドゥルジ」と呼び、あらゆる罪悪の中でも指折りの重い罪だと教えているのだ。

ペルシアの神としてのミスラ

　ミスラは、ほかのヤザタたちと同じように、ゾロアスター教成立以前からペルシアで信仰されていた土着の神だった。その勢力は非常に強大で、ペルシアのあらゆる神のなかでもっとも人気のある神のひとりだったと考えられている。いまから2500年ほど前、紀元前6世紀ごろから栄えたペルシアの王朝「アケメネス朝」では、ミスラ、アフラ・マズダ、アナーヒター（→p110）の3柱の神が、国の守り神として信仰されていたことからも、その勢力の大きさがわかるだろう。

　ゾロアスター教に取り込まれる前のミスラがどんな性質を持つ神だったかを完全に説明することは難しい。真実と秩序の神、万物の創造者、人類を救済する神、太陽神などと説明するものが多く、このころから天使ミスラと重なる性質を備えていたことは間違いない。

　アフラ・マズダを唯一の神としてあがめるゾロアスター教徒にとっても、ミスラは無視できる存在ではなかったようだ。天使となったミスラだけに捧げる賛歌『ミフル・ヤ

シュト』を製作し、ミスラを「アフラ・マズダと同等の存在」とほめたたえ、聖典『アヴェスタ』にそれを収録したという事実は、ミスラを信仰する者の勢力がそれだけ大きなものだったことをあらわしている。

ミスラをあがめる「ミトラス教」

　ペルシアでミスラ信仰がゾロアスター教に吸収される一方、ペルシャ以外の地域では、ミスラを太陽神ミトラスとして崇拝する信仰が生き残り発展した。「ミトラス教」と呼ばれるその宗教は、ペルシアから遠くにまで伝播し、西は北アフリカやヨーロッパ、イギリスまで。東はインドにまで伝わり、各地にミトラス神をまつるための神殿や遺跡が見つかっている。

　ミトラス教がヨーロッパで勢力を伸ばしたのは、キリスト教が生まれるより100年ほど前の紀元前1世紀から、5世紀ごろまでの数百年間だった。特に4世紀ごろまでのミトラス教は、当時のヨーロッパを支配していた大帝国「ローマ帝国」のなかで、キリスト教の最大のライバルだったと伝えられている。実情に即しているかどうかは疑わしいが、19世紀フランスの宗教学者エルネスト・レナンは、もしキリスト教が存在しなかったら、ヨーロッパではミトラス教が標準的な宗教になっていただろうと推測している。

2世紀ごろにつくられた、雄牛を屠殺するミトラス神の影像。大英博物館蔵。

　このように強大な勢力を持っていたミトラス教だが、ローマ帝国がキリスト教を国教に定めるとその勢力は弱まり、5世紀ころにはほぼ消滅してしまった。

ユダヤ教とミスラ

　古来より幅広い地域で信仰されただけあって、ミスラの影響はイスラエルやヨーロッパを中心に広まったキリスト教とユダヤ教にも見られる。たとえばキリスト教のイエスの誕生日とされる12月25日（→p76）は、もともとイエスの誕生日ではなく、ミトラス教の祭りの日であり、それをキリスト教側が「その日はイエスの誕生日」だと主張して、クリスマスにしたという説がある。

　また、ユダヤ教において神の次に偉いと呼ばれる天使メタトロン（→p32）は、ペルシアのミスラ神か天使ミスラを参考に作られたという説もある。双方ともに契約の天使であり、太陽と関係が深いこと、多くの目を持つことなど共通点が多く、両者に関連性があるという説もうなずけるものがある。

> ミトラス教が12月25日にお祭りするのは、この日が「冬至」だからなのです。冬至を過ぎると太陽がでている時間が延びていきますから、これを「太陽神のミトラスさんが元気になる日」って考えたんですね。

113

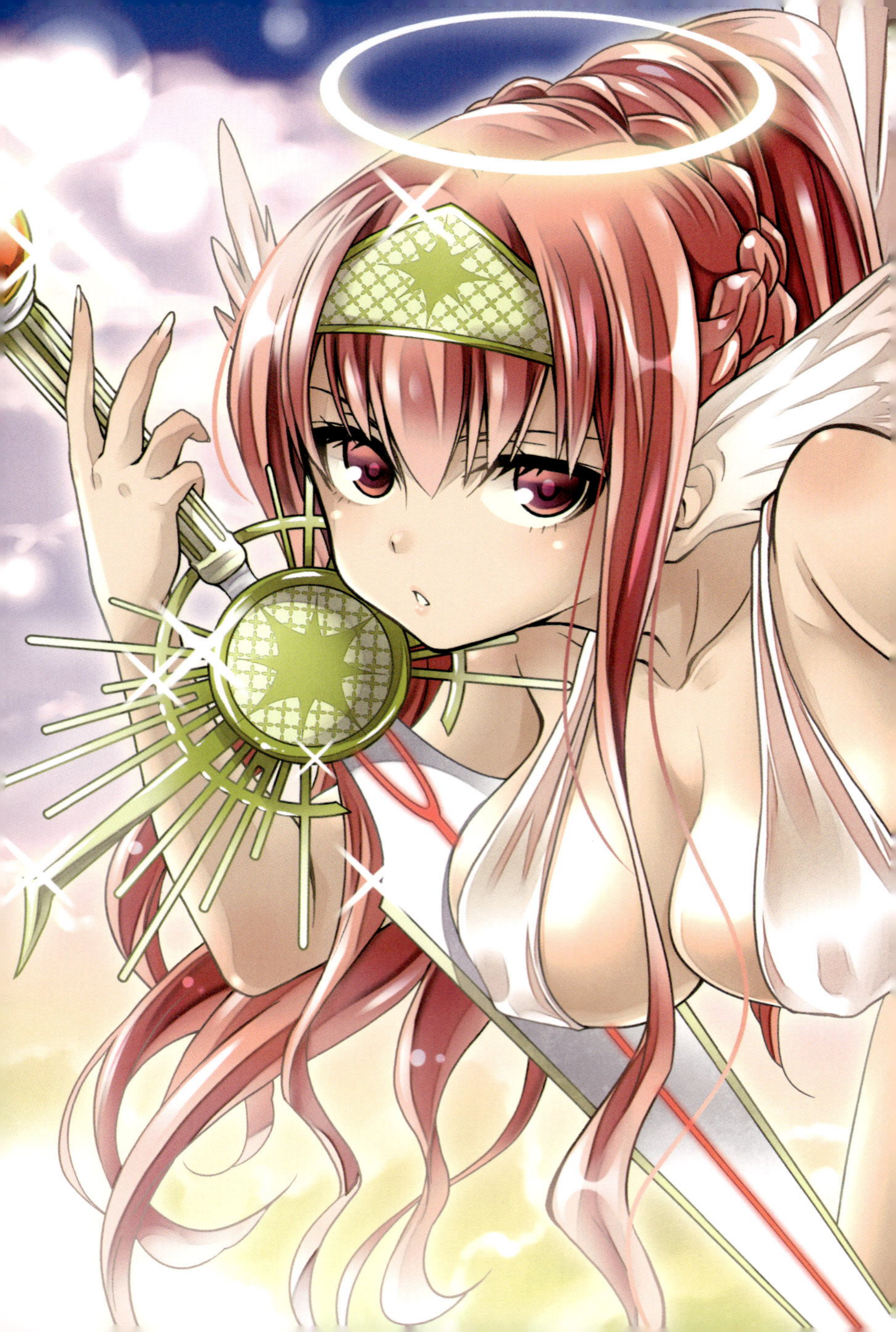

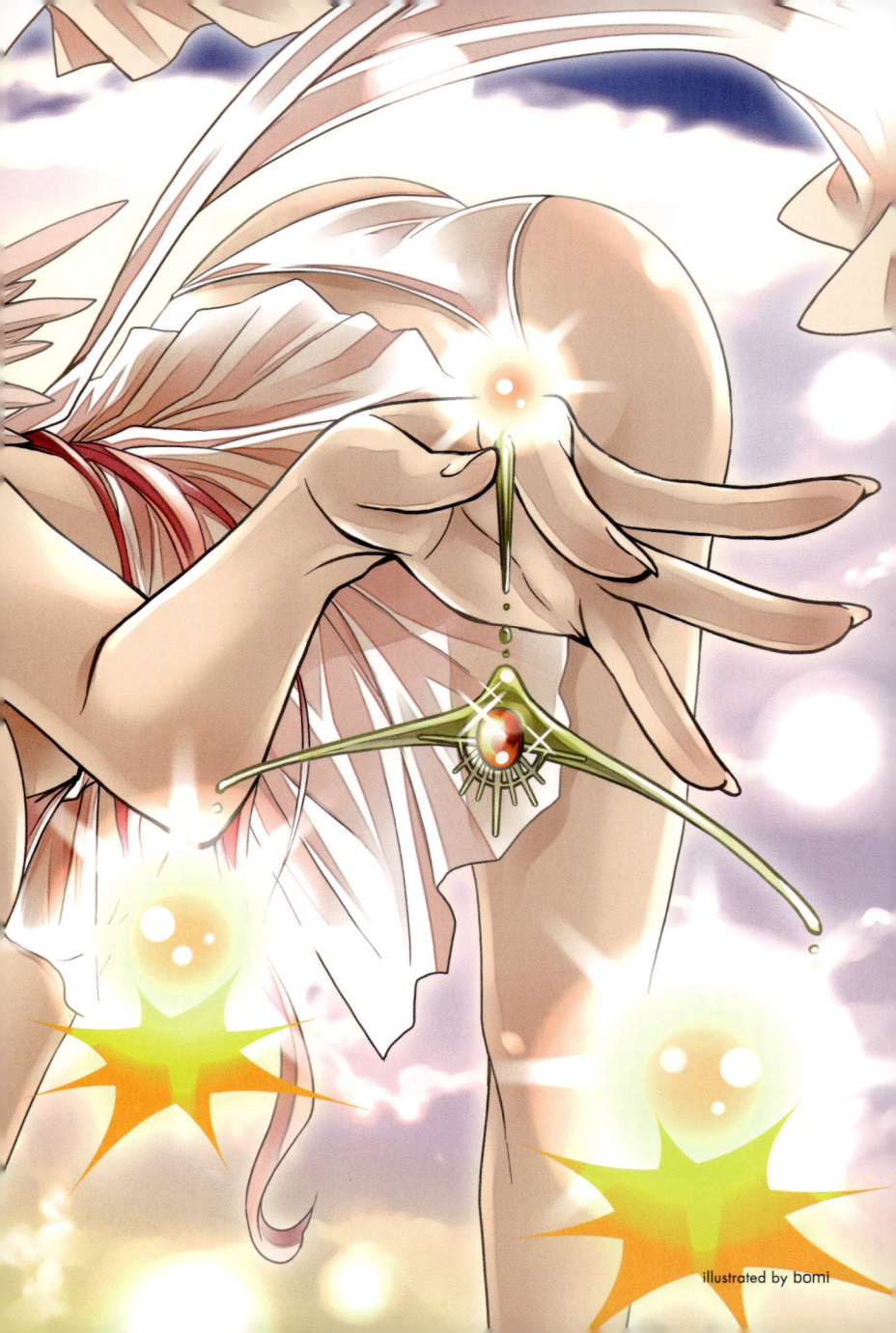

illustrated by bomi

ハオマ

天使になったお酒

英字表記：Haoma　名前の意味：ハオマ酒　別名：ホーム、ドゥーラオシャ（死を遠ざける者）
種別：ヤザタ　出典：ゾロアスター教の聖典『アヴェスタ』など

人間に活力と子孫を与える天使

　ハオマは、世界の宗教でもめずらしい「酒そのものを神格化した神」が、天使になった存在である。緑色または黄金色の目を持ち、体は金色に輝くという。

　天使ハオマの役割は、「活力」と「生命力」だ。この天使の名前のもとになった酒「ハオマ酒」を通じて、人間を健康にし、生きる活力を与えるのがハオマの仕事だ。そのためハオマは「ドゥーラオシャ（死を遠ざける者）」という異名で呼ばれている。また、ハオマによってもたらされる健康は、多産と子孫の繁栄に直結する。伝説ではハオマ酒を飲んだ人物からさまざまな英雄が誕生しており、開祖ゾロアスター自身にも、ゾロアスターの父がハオマ酒を絞ったために、特別な力を持って生まれたとする伝説がある。

　ハオマ酒は、古代ペルシアの宗教儀式で供物として利用されていた。その後生まれたゾロアスター教では、酒に酔った状態は「悪魔に取り憑かれた状態」と考えるため、初期のゾロアスター教ではハオマ酒は推奨される飲み物ではなかったのだが、後期ゾロアスター教では「飲んでも悪魔に取り憑かれない唯一の酒」という地位を手に入れ、天使ハオマも創造神アフラ・マズダから、信者の証である「クスティー」という帯を、誰よりも先に授かるという栄誉を与えられている。

伝説の酒ハオマの正体は？

　ハオマ酒は古代ペルシアで実際に作られていた酒で、ハオマ草という植物の茎をしぼり、その汁を発酵させて作るものだというが、現在ではその原材料や製法は失われており、現代のゾロアスター教の儀式などでは、ザクロの果汁、シダ植物の枝などを材料にした代用品が使われている。

　ハオマ草の正体はどんな植物なのか、学者のあいだではまだ結論が出ていない。古代の文献によると、ハオマ草はしなやかで肉厚な、緑色で香りのある植物だという。また、ハオマ酒を飲んだ者は興奮状態になったり幻覚を見るという伝承があることから、毒キノコや大麻などから作った酒だとする意見もある。

　現在もっとも有力な「ハオマ草」の候補は、漢方薬「麻黄（まおう）」の材料として知られる植物「エフェドラ」である。この草の樹液には、興奮作用を持つエフェドリンという薬効成分が含まれている。

> ふふふ、メシアは悪い子だからお酒だってのんじゃうのだ。これ"ざおすら"だっけ、ハオマとミルクをまぜまぜしたやつだから、きっとおいしーのだ……ぺっぺっぺ！　うー、やっぱおさけきらいなのだ！

illustrated by リリスラウダ

雨も日照りもお祈りしだい
ティシュトリヤ

英字表記：Tištrya　名前の意味：恒星シリウス　別名：ティシュタル
種別：ヤザタ　出典：ゾロアスター教の聖典『アヴェスタ』など

恵みの雨をもたらす天使

　ゾロアスター教が生まれたペルシア地方は、雨があまり降らない乾燥地帯である。そのため作物と草木を育てる雨は貴重なものであり、雨を降らせる「ティシュトリヤ」という天使が偉大な存在だと考えられていた。

　ペルシアに雨が降る季節になると、ティシュトリヤは1ヶ月のあいだに次々と姿を変える。まず最初の10日は、ティシュトリヤは15歳の男性として過ごす。次は雄牛に変身して10日を過ごし、最後の10日は、黄金の馬具をつけた金色の耳の白馬となり、この姿で地上に降りて雨を降らせるのである。

　ただし、白馬になったティシュトリヤが、かならず雨を降らすことができるとは限らない。ゾロアスター教には"アパオシャ"という悪魔がいて、日照りや暑さで草木を枯らし、動植物を苦しめようと狙っているのだ。スラオシャとアパオシャは3日3晩にわたって激しく戦い、スラオシャが勝てば待望の雨が降ることになるのだが、スラオシャが勝てるかどうかは信仰の力にかかっている。信者たちの信仰心が薄ければ、ティシュトリヤは戦いに敗れてしまうのだ。そのためゾロアスター教の信者たちは、雨の季節が近づくとスラオシャに祈り、供物を捧げて、スラオシャに信仰のエネルギーを与えようとするのだ。

雨を知らせる青白い星

　スラオシャという名前は、夜空に青く輝く恒星「シリウス」の呼び名である。太陽系からもっとも近い位置にある恒星であり、「冬の大三角形」を構成する星のひとつ、おおいぬ座のシリウスといえばピンとくる人も多いだろう。

　シリウスと雨には深い関係がある。ペルシアのような乾燥地帯では、雨が降るのは1年に2～3ヶ月の"雨期"だけで、それ以外の"乾期"では、ほとんど雨が降らない。そのため農家にとって、雨期の到来を知ることが非常に重要なのだ。

　シリウスは、雨期の到来の指標になる恒星である。農民たちは、日の出より早い時間にシリウスが見えることが、雨期の到来の前触れだと知っていた。そのためシリウスは、雨を降らせて人間に収穫の恵みを保証する神として神格化された。これがゾロアスター教に天使とされたのがティシュトリヤなのだ。

　シリウスは古代エジプトでも雨を知らせる星だったのよ～。シリウスがでるころになると、ナイル川が大洪水を起こして、上流から栄養たっぷりの土を運んでくるの。この土でエジプト人は食べ物を育てたのね～。

illustrated by 望月朔

信仰パワーで悪魔をKO!
スラオシャ

英字表記:Sraosha　名前の意味:耳を傾ける　別名:ソルシュ
種別:ヤザタ　出典:ゾロアスター教の聖典『アヴェスタ』など

神の声を伝える天使

　スラオシャは「従順」と「規律」の天使で、ゾロアスター教の天使(ヤザタ)のなかでも特に人気の高いひとりだ。

　スラオシャの第1の役目は、創造神アフラ・マズダの教えを人類に伝えることだ。開祖ゾロアスター自身も、ゾロアスター教最古の宗教文書のひとつ『ガーサー』のなかで、神の教えを知るためにスラオシャを呼び求めている場面がある。そのほかにも、スラオシャには信者たちの祈りを天界に運ぶ役割がある。そのためゾロアスター教徒が行う儀式には、かならずスラオシャがあらわれるとされた。これら伝道と報告の任務を果たすため、スラオシャはすべての天使のなかでただひとり、アフラ・マズダの正面に座ることを許された存在だといわれている。

　つまりスラオシャは、神と人の間をつなぐ仲介役なのである。人間にとって身近なスラオシャに、人気が集まるのも納得がいく話だ。

戦士としてのスラオシャ

　ゾロアスター教の教義は、時代によって大きく変わる。最初はあくまで神と人の仲介役に過ぎなかったスラオシャは、やがて従来の役割に加えて、悪魔と戦う戦士という性質を強めていく。戦士となったスラオシャは、甲冑に身を包み、斧や棍棒を手にした姿であらわれるという。

　ゾロアスター教は「善悪二元論(→p189)」という思想をかかげているため、人間や家畜の死という深刻なものから、隣人とのちょっとした争いまで、人間の害になるものはすべて悪魔(ダエーワ)のしわざだと考える。悪魔は夜に地上にあらわれ、あらゆる災厄をまき散らすという。そのため悪魔と戦う戦士であるスラオシャは、夜に馬車に乗って地上に降り立つのだ。この馬車は、黄金の足を持つ白馬4頭に引かれた立派なものだ。

　スラオシャと悪魔の戦いは長く激しいものになるが、最終的にはかならずスラオシャが勝利し、世界を守るという。ゾロアスター教の二元論は、最終的にかならず善の側が勝利し、悪は打倒されることになっているからだ。

　ちなみに、神と人の仲介役であるスラオシャが、強力な戦士に変化したのには理由がある。ゾロアスター教の教義では、神の教えに従順で熱心な信者ほど、積極的に悪と戦うべきだと教えられている。この考えにもとづけば、「従順」の天使であり、神の教えをもっともよく知るスラオシャは、誰よりも積極的に悪との戦いに参加しなけ

illustrated by てるみぃ

ればいけない。そのため悪と戦うスラオシャというイメージが定着し、後期ゾロアスター教における「戦士スラオシャ」のイメージが完成したのだ。

スラオシャの宿敵「アエーシュマ」

　ゾロアスター教では、すべての善のものには対立する悪のものがひとつずつ存在すると考える。これは天使についても同様で、スラオシャにも彼と対立する不倶戴天の宿敵が存在するのだ。それが大悪魔「アエーシュマ」である。

　アエーシュマは「狂暴」の悪魔であり、ゾロアスター教の7大悪魔に次ぐ強大な存在とされている。人間の役に立つよい動物を苦しめたり、世界中に怒りを振りまいたり、酒を飲んだ人間の正気を失わせて凶暴にする（→p116）ことを得意としている。もしアエーシュマに振りまかれた怒りや悪徳を放置すると、最悪の場合、国家間の戦争にまで発展してしまう。スラオシャは悪が広まるのを防ぐため、毎晩のようにアエーシュマと激しい戦いを繰り広げるのだ。

　ただしスラオシャが戦う相手はアエーシュマだけではない。スラオシャは『アヴェスタ』に収録された祈祷文などでも多くの名のある悪魔と戦い、獅子奮迅の活躍を見せているのだ。これは天使と悪魔の1対1の敵対関係を基本とするゾロアスター教のなかではめずらしい例といえる。

死者の魂を守護する天使

　戦士の特性を手に入れたのとほぼ同じころ、スラオシャはほかにも新しい役割を与えられている。それは、死んだ人間の魂を守ることと、その魂が天国へ行くか、地獄に堕ちるかを判断することだ。

　ゾロアスター教の教義によると、人間が死ぬと、肉体から魂が離れ、3日のあいだ自分の遺体のまわりにとどまるという。このあいだ、魂は非常に無防備な状態になっていて、ここぞとばかりに悪魔が襲いかかってくる。スラオシャは、死者の魂のボディーガードとして、悪魔から魂を護衛するのである。

　人間が死んで4日たつと、スラオシャは死者の魂を「チンワト橋」という橋に連れてくる。ここで魂は、スラオシャ、裁きの天使ミスラ（→p112）、公平の天使ラシュヌの3名から、天国と地獄のどちらへ行くかの裁判を受けるのだ。このときのスラオシャは、罪人の尻を叩くためのムチを持った姿で描かれることもある。

　ゾロアスター教の信者たちは、誰かが健康を害して死に近づくと、死後の魂をスラオシャに守ってもらうために、その人が生きているうちからスラオシャを祭って準備をする。信者の死亡が確認されると、遺族たちは、死後3日が経過してチンワト橋での裁判が終わるまで、自宅または寺院で1日に5回スラオシャをたたえる詞をとなえて祈りを捧げるのだ。

> スラオシャさんには、アエーシュマのほかにも「アーズィ」っていう宿敵がいます。聖なる火を消そうとしたり、善悪の最終戦争で最後の2体まで生き残る、強力でしぶとい悪魔なのですよ。

近代の天使

Angel of Modern Age

ヨーロッパで知られている天使のなかには、
キリスト教やユダヤ教の由緒ある宗教文献ではなく、
比較的新しい時代に生まれた者がいます。
この章で紹介するのは、
10世紀以降の魔導書や文学作品などで創作された天使や、
キリスト教系の新興宗派で生まれた天使たちです。

illustrated by きつね長官

じゆすへる

出撃！　エンジェル連隊！
モンスの天使

英字表記：Angels of Mons
出典：イギリスの新聞『デイリーメール』1915年8月12日版など多数

20世紀に出現した天使の軍団

　日本人なら誰もが知っている「第二次世界大戦」の終戦よりも30年前の1914年、ヨーロッパを主戦場とした「第一次世界大戦」が勃発した。ドイツを中心にした三国同盟と、イギリス、フランス、ロシアを中心にした連合国が争う戦場に、無数の天使があらわれたという話が報道された。おもにイギリスで報道されたこの天使たちは、戦場となったベルギーの町の名前をとって「モンスの天使」と呼ばれている。

　1914年の8月26日から27日にかけて、モンスでの戦闘は、守るイギリス軍に対して、イギリス軍の2倍の兵力を持つドイツ軍が襲いかかるという状況だった。イギリス兵たちの報告によれば、敗色濃厚だったイギリス軍の前に、時代錯誤の甲冑を身につけて馬にまたがった、何百、何千という兵士たちがあらわれ、ドイツ軍に弓矢を放って攻撃したのだ。この弓兵に撃たれて命を落とす兵士が続発したが、のちに遺体を確認すると、弓矢や銃弾が貫通したような傷跡がどこにもなかったという。

　突然の理解しがたい事態に恐れをなしたドイツ軍は、モンスのイギリス軍に対する攻撃を中止した。この謎の兵団のおかげで、イギリス軍は全滅をまぬがれ、後方に退却することができたのだという。

天使の正体を探れ！

　モンスのイギリス軍が天使に救われたというセンセーショナルな話題は、すぐにイギリス中に広まった。最初は「何百何千という兵士が弓矢を放ってイギリス軍を援護した」というだけの内容だったが、しだいに話に尾ひれがついていった。イギリスの新聞を中心に報道されたこれらの噂には、いくつかの傾向がある。

　ひとつは、モンスの天使のなかに、有名な人物や天使がいたというものだ。ある報告によると、モンスの天使を指揮していたのは、イギリスを構成する国のひとつ「イングランド」の守護聖人である聖ジョージだったという。そのほかにも、フランスの兵士が百年戦争の英雄として有名な聖処女ジャンヌ・ダルクを見たという証言、傷ついた兵士がキリストの母である聖母マリアを見たという証言や、甲冑を着て白馬にまたがった大天使ミカエルを目撃したという証言まである。

　ほかに、不思議な雲が空に浮かび、光とともに天使があらわれたという傾向がある。ある雑誌には「連合軍とドイツ軍のあいだに、もうもうとした雲が出現し、そのなかから天使があらわれた」という証言が掲載された。ほかにも「上空をただよう3つの光り輝く影を見た」、「空から光り輝く天使たちが降りてきて、ドイツ軍の陣地の上を

illustrated by 肉有一馬

飛んだ」という報告もある。

　ちなみにモンスの天使が弓を持つ理由のひとつに、彼らが「イギリスのために降臨した天使」だから、という説がある。中世イギリスの軍隊は「ロングボウ」という強力な弓を使い、対岸のフランスと激しく争っていた。つまりイギリス人にとって、弓は自分たちの誇りなのだ。兵士たちのなかには、天使たちの正体は、有名な「百年戦争」でイギリス軍がロングボウを使ってフランスの大軍を粉砕した「アジャンクールの戦い」で活躍した弓兵たちの霊だと信じる者もいたという。

モンスの天使はねつ造か？

　モンスの天使の目撃証言のなかには、あきらかな嘘、ねつ造だとわかったものがいくつもある。では、モンスの天使と呼ばれる現象の正体はいったい何だったのだろうか？　興味深い意見がふたつ提示されている。

●小説をもとにした空想物語である
　モンスの天使の噂は、小説にヒントを得た作り話だとする説。その小説とは、イギリスの作家アーサー・マッケンの『弓手たち』という作品である。
『弓手たち』は、モンスでの戦闘を題材にした新聞小説である。モンスでドイツ軍の攻撃を受け、絶望したイギリス兵が、守護聖人聖ジョージに助けを求める。すると、はるか昔に死んだ弓手たちが出現して、ドイツ軍を攻撃するという内容で、たしかにモンスの天使の噂とよく似た内容である。

　作者のマッケンは、この噂の原型は自分の小説で、モンスの天使は空想のものだと主張した。ところがこの主張にはひとつ疑わしい点がある。マッケンの主張が正しいとすると、時間の流れが矛盾するのだ。

　天使が出現したというモンスでの戦闘は1914年の8月末に行われ、そこに天使があらわれたという証言は、すでに9月5日に現地のイギリス軍将校、チャータリス准将によって報告されていた。小説『弓手たち』が発表されたのは9月27日なので、准将やその部下が『弓手たち』を参考に作り話をできるはずがないのだ。

●ドイツ帝国軍の新兵器だった
　第一次世界大戦終結後の1930年2月17日、イギリスの新聞に、モンスでイギリス軍と戦ったというドイツ軍将校の証言が掲載される。それによれば、イギリスで「モンスの天使」と紹介されている者の正体は、「巨大映写機によって雲に映し出された映像」なのだという。空に映像を映して敵に集団ヒステリーを起こさせようという作戦が裏目に出て、逆にイギリス軍の士気を上げてしまったというのだ。

　しかしこの説は嘘である可能性が高い。ドイツ軍関係者が、新聞に出た名前のドイツ軍将校はいないと言い、記事の内容をでっちあげと断言したのだ。

> 天使の軍隊が人間を攻撃した例は旧約聖書の『イザヤ書』にもあるのです。ユダヤ人の軍がアッシリアの軍に囲まれたとき、天使の軍勢があらわれてアッシリア軍を蹴散らしたのですよ！　かっこいいのです！

ゾロアスター教の天使小事典

> あれ、「ゾロアスター教の天使」はもう終わりなのか？「アムシャ・スプンタ」って6人か7人組の天使だっていうから、さっき紹介してた「スプンタ・マンユ」と「ウォフ・マナフ」以外の天使を待ってたんだけど。

> あう、そういえばご紹介していなかったのです。すこし遅くなってしまいましたがここでご紹介させていただくのですよ。一緒に、まだ紹介していない「ヤザタ」のみなさんもお呼びしました！

アシャ・ワヒシュタ

アムシャ・スプンタの一員である正義の天使。虚偽を嫌い、誠実さと清浄を好む。生涯を通じて正義と誠実さを保った者は「アシャワン」と呼ばれ、死後もこの天使の加護を受けるという。

アータル

火の天使。ゾロアスター教は、創造神アフラ・マズダが炎の中で万物を創造し、信者が火を通じて神と交信する宗教であるため、アータルはアフラ・マズダの息子と呼ばれて重視された。

アールマティ

敬虔、献身を守護する、アムシャ・スプンタの女性天使筆頭。大地の守護天使でもあり、信者が農耕にはげむのを喜ぶ一方、大地が死体などのけがれたもので汚されることを嫌う。

アルヤマン

病気を治療する天使。ゾロアスター教の悪魔の頭領であるアンリ・マンユは、この世界に99,999種類の病気をばらまいたという。その病を治療するのがアルヤマンの役割だ。アルヤマンの病気治療法のなかでももっとも優れたものは呪文の詠唱であり、彼に捧げられた呪文は死をも駆逐すると信じられている。

ウルスラグナ

戦争を勝利に導く天使。10の姿に変身するというが、特にイノシシの姿でミスラの戦車を先導する姿がよく知られている。ローマ帝国の最大のライバルだった中東の軍事大国「ササン朝ペルシア」は、この神を主神として厚く信仰した。

クシャスラ

アムシャ・スプンタのひとりで、名前の意味は「王国」。鉱物の天使であり、世界の終末において、灼熱の溶岩として出現して世界の一切を浄化する。

ハルワタート＆アムルタート

アムシャ・スプンタの末席にあるふたり組の女性天使で、水と植物の守護者。渇きと飢えを制圧する。

フワル・クシャエータ

「輝ける太陽」という意味の名前を持つ、太陽を神格化した天使。彼は創造神アフラ・マズダの眼と呼ばれ、空に姿をあらわすだけであらゆるものを浄化する力を持っている。ただし太陽が昇らない場合、悪魔は世界を破壊し、善の天使たちもそれに対抗できなくなる。そのためゾロアスター教では、空に太陽がある日でもない日でも、太陽に向かって1日3回の礼拝を欠かさないという。

神のためなら魔王も斬る！
アブディエル

英字表記：Abdiel　名前の意味：神の僕　別名：アブデル
出典：『失楽園』（1667年イギリス　著：ジョン・ミルトン）

神への忠誠心にあふれる天使

　中世ヨーロッパの悪魔学やオカルト文献、天使を題材にした文学作品などでは、『旧約聖書』に描かれている人間の名前を、オリジナルの天使や悪魔の名前として利用することが多い。アブディエルは「神の僕」という意味で、旧約聖書に収録されたユダヤ人の歴史書『歴代記』では、登場人物の先祖として列記されている複数の名前のひとつにすぎないが、17世紀の小説『失楽園』で、かたくななまでに忠実に神に仕える天使の名前として採用されている。

　『失楽園』は、イギリスの詩人ジョン・ミルトンの作品で、旧約聖書『創世記』の序盤の物語を題材に、悪魔の首領サタンの反乱と、その後のエデンの園からのアダム追放、そしてキリストの誕生を描く作品だ。

　『失楽園』第5巻で、神に反逆することを決意したサタンは、部下の天使たちを言葉巧みに誘惑して、反乱の仲間に誘おうとする。大部分の天使がサタンに従うなかで、唯一誘いを拒否したのがアブディエルだった。彼はそればかりか、「天使は偉大な神に作られた存在なのに、神と同等だなどというのはおこがましい」「絶対の神の作った秩序に守られているからこそ真の自由がある」と主張して、反乱を思いとどまるようサタンを説得したのである。

天界屈指の剣の使い手

　アブディエルは作中で、勇敢な戦士としても活躍している。彼は神に反乱を起こすべく軍を進めてきたサタンの前に立ちはだかり、サタンの愚かさを批判すると、手に持った剣で必殺の斬撃をサタンの頭にたたき込み、サタンを10歩後ろに下がらせている。サタンは彼の軍勢のなかでも最強の戦士なのだが、アブディエルはそのサタンを一騎打ちで打ち破ったのである。

　アブディエルの手柄に勢いづいた天使軍は、天使長ミカエルの指揮のもと、ラッパをならしてサタンの軍勢に攻めかかり、激しい戦いのすえにサタンの軍勢を打ち破った。この戦いではアブディエルも、アリエル、アリオク、ラミエル（本来は天使だが、『失楽園』では堕天使とされている）などの名のある堕天使たちを圧倒している。アブディエルは天界でも屈指の武勇の持ち主だったのだ。

> 10歩下がるってのはじつはすげえ大きな意味があるんだ。10ってのは神聖な数で、10歩下がったことでサタン様の運命は破滅しちゃったのさ。なんとかあと1歩踏ん張れなかったのかなあ、サタン様。

近代の天使

illustrated by 穂里みきね

事件の秘密をイッパツ解決！
アサリア

英字表記：Asaliah　名前の意味：神の行為、神の治療
出典：カバラ文献『来世について』（13世紀スペイン）　著：アブラハム・ベン・サミュエル・アブラフィア）

正しい裁きを教える天使

　アサリアは、ユダヤ教の天使のなかでも比較的新しい時代に創作された天使だ。アサリアの名前がはじめてあらわれた文献は、日本の鎌倉時代にあたる13世紀にスペインで書かれた、ユダヤ教神学「カバラ」の文献『来世について』である。もともとアサリアは、この本で紹介された72組の天使のひとりにすぎなかったが、のちにさまざまな魔導書で紹介されるようになった。

　フランスのカバラ研究者ラザール・ルナンによれば、アサリアは裁判の天使である。旧約聖書『詩篇』104章25節の文章をとなえながらしかるべき時間に祈りを捧げれば、裁判事件の真実がわかり、正しい判決が得られるという。

　そして20世紀のオカルティスト、ロベール・アンブランの『実践カバラ』（1951年）によると、アサリアはラファエル（→ p24）配下の正義の天使で、天使9階級の5番目の位階である力天使の階級にいるという。

72組の天使「シェマンフォラス」

　上でも説明したとおり、アサリアは『来世について』に紹介された72組の天使のひとりだ。この天使たちは「シェマンフォラス」と呼ばれている。

　シェマンフォラスの天使たちの名前は、ある法則にもとづいて名付けられている。ユダヤ教神学の一種「カバラ」では、『旧約聖書』の文章を分解して、本文の内容とは違う文章を作り、そこから聖書の隠された本質を読み解くという研究が行われている。シェマンフォラスもその一環で、旧約聖書のなかでも特に重要な文献である『出エジプト記』の14章に書かれた3つの文章を分解して72組の文字列に再構成する。この文字列に、神をあらわす語尾「el」または「lah」をつけることで、72組の天使の名前ができあがるというわけだ。

　シェマンフォラスの72組の文字列には秘められた力があると考えられたため、神に願いを届けるときや、魔術の儀式を行ったあとに、シェマンフォラスの名前がとなえられた。ただし中世以降の魔導書やオカルト文書で紹介されたシェマンフォラス72名の名前は、文献ごとにかなり違いがある。これはヘブライ語で書かれたシェマンフォラスの名前を、ラテン語に訳したときの誤訳が原因だといわれている。

> ユダヤ教の神学では、聖書に隠された言葉を探せ！　って研究を、2000年くらい前からやってんだぜ。現代でもちょい前に『ダ・ヴィンチ・コード』とか流行ったけど、本場のユダヤ教徒とは年期が違うなー。

illustrated by 々全

モロナイ

ここ掘れここ掘れ黄金板♪

英字表記：Moroni　別名：モローニ
出典：モルモン教の教典『モルモン書』

新興宗派「モルモン教」の伝道天使

　現在、キリスト教系の新興宗派は、世界に星の数ほど存在する。その規模は村レベルの小さなものから、数百万人の信者を抱える宗派までさまざまだ。ここで紹介する天使モロナイは、これらキリスト教系信仰宗派のなかでも最大級の規模を持つ、アメリカの「モルモン教」の誕生に深く関わった天使である。彼はこの世で見たこともないような美しい純白のローブをまとい、その顔は稲妻のように輝いていたという。モルモン教の教会に置かれる彫像では、モロナイは細長いラッパを持った姿でかたどられることが多い。

　モルモン教の伝説によれば、日本がまだ江戸時代であった1823年、モロナイはアメリカ人の青年「ジョセフ・スミス・ジュニア」のもとに出現し、1500年前のアメリカ大陸で神の声を聞いた預言者による黄金の文字板があることを教え、将来それを翻訳するよう命じた。ふたつの宝石「ウリムとトンミム」とともに発見された黄金板には、古代エジプトの象形文字にも似た謎の文字が書かれていたが、ジョセフはこの宝石を使うことで謎の文字を解読し、一冊の本にまとめあげた。この本は本来の筆者である預言者の名前から『モルモン書』と名付けられ、『旧約聖書』と並ぶモルモン教の聖典となったのである。

モルモン教の特異な教え

　モルモン教は一般的なキリスト教からはかけはなれた教義を持つ宗派であり、カトリック教会など古来からの宗派には「異端宗派」だとみなされている。その理由は、神とイエス・キリスト、聖霊が一体だとする「三位一体」の否定、一夫多妻の承認など多岐にわたるが、もっとも重要な違いは『モルモン書』にある。
『モルモン書』の神話によれば、驚くべき事に、アメリカ原住民「インディアン」の祖先はユダヤ人なのだという。彼らは6世紀ごろにエルサレムからアメリカへ移住したユダヤ人ニーハイの子孫であり、その後ふたつの部族に分かれて争っていた。この争いを仲裁するためにイエス・キリストが出現したこともあるという。預言者モルモンはニーファイ人という部族の最後の指導者であり、ふたつの部族が犯した罪を、後世に伝えようとりはからった偉人なのだ。

> モロナイさんは、預言者のモルモンさんの息子さんが、天使の肉体を得て復活した存在ですよ。お父さんの遺言を1500年後のみなさんに広めるためにわざわざ復活するなんて、親孝行なのですね〜♪

近代の天使

illustrated by 鞠乃

愛しのあの子を天使に変えて
ベアトリーチェ

英字表記：Beatrice　名前の意味：幸福なる者　別名（本名）：ベアトリーチェ・ポルティナーリ
出典：『神曲』（1321年イタリア）　著：ダンテ・アリギエーリ

詩人ダンテを死後の世界に導いた天使

　ベアトリーチェは、13～14世紀に生きたイタリアの詩人「ダンテ・アリギエーリ」の物語『神曲』に登場する天使で、ベアトリーチェ・ポルティナーリという貞淑な女性が死後に天使となった存在である。彼女は優雅で、慈愛に満ちた性格であり、驚くほど美しい女性天使として描写されている。

　『神曲』は、作者であるダンテ自身が主人公となり、キリスト教の死後の世界である地獄、煉獄、天国を旅するという壮大な物語だ。ベアトリーチェは主人公ダンテの生前の知人であり、犯した罪の重さに悩むダンテを導くために、彼のもとに古代ギリシャの詩人ウェルギリウスを派遣してその魂を救おうとするのだ。

ベアトリーチェとダンテを描いた油絵。フランスの画家アリ・シェファール画。1851年、

詩人ダンテを死後の世界に導いた天使

　天使ベアトリーチェは、同名の実在人物をモチーフとして生み出された。彼女はダンテが9歳のときに一目惚れした初恋の相手で、生涯を通して片思いを貫いた人だった。彼女への思いが本人に知られることを極端に恐れたダンテは、ベアトリーチェの友人に気があるふりをしてベアトリーチェを見つめ続けた。この行為のせいで、ダンテは愛するベアトリーチェから軽蔑されるようになってしまう。

　その後、別の男性と結婚したベアトリーチェは24歳の若さで亡くなる。そのころダンテは親の薦めで見合い結婚をしていたが、ベアトリーチェの死後も彼女への思いは消えることがなく、自身の作品に、天使となったベアトリーチェを出演させることで、その美しさを永遠に語り継ごうとしたのだ。

　後世の研究者は、ベアトリーチェを「ダンテのミューズ」だと表現する。ミューズとはローマ神話の芸術の女神で、芸術家の創作意欲をかきたてる存在だ。神話ではミューズの象徴物はバラ、詩人の象徴物はミツバチとされる。いわば『神曲』は、ベアトリーチェという永遠の花園を飛び回るミツバチの物語なのである。

近代の天使

> この本では、『神曲』でダンテさんが旅した死後の世界、「地獄、煉獄、天国」について、ふたりが158ページからくわしく紹介しているみたいよ。そっちも見逃さないでね、アスタロトお姉さんとの約束よ？

illustrated by 宮瀬まひろ

キケンなヨゲンを教えてあげる♥
ハラリエル

英字表記：Harariel　別名：ハラヘル
出典：エドガー・ケイシーのリーディング記録

破滅の予言を与える天使

　ハラリエルは、20世紀のアメリカで活躍した霊能者"エドガー・ケイシー"の体を借りて、いくつもの"お告げ"を下した天使だ。ハラリエルは人間の前に姿をあらわすことがなかったため、外見的特徴は不明である。この天使についてわかっているのは、常に命令的かつ暗い口調で話すことだ。

　ハラリエルは、ケイシーの晩年に当たる1930年ごろから出現するようになった。この天使はケイシーの研究グループの集会中に突然あらわれ、自分が天使ハラリエルであるとメンバーに告げた。以降、ハラリエルは何度もケイシーの体を使い、破滅的な内容の予言を伝えたという。そのなかには、1998年までに日本が海に沈むという内容のものもあった。

　ハラリエルという天使の名前は、聖書の外典や偽典をはじめとする、由緒正しい宗教文書には存在しない。この天使の正体は、天使アサリアと同じ"シェマンフォラス"（→p130）の72天使のひとりである「ハラヘル」の名前がなまったものであるという説や、『ヘブライの魔除け』という本で紹介された東洋の天使ハラリエルと同じ天使だとする説がある。

エドガー・ケイシーの霊能力

　天使ハラリエルが体を借りたエドガー・ケイシーとは、ハラリエル以外にも複数の天使と会話した経験を持つ霊能者である。

　ケイシーの名を有名にしたのは、寝ているあいだに病人の適切な治療法を見つける「フィジカル・リーディング」という技術である。診察だけでは病気の正体がわからないような患者や、当時の医学で病気の正体がわかっていなかった患者に対しても、ケイシーは適切な治療法を発見して提示するのだ。

　そのほかにもケイシーは、人生の悩みの解決法を示す「ライフ・リーディング」、未来予知などを行ったが、特に未来予知は的中率が低いことで知られている。一方でケイシーのフィジカル・リーディングには信奉者が多く、ケイシーがリーディングで指示した病気の治療法を利用する医療機関「AREクリニック」が、ケイシーの死後50年以上経過した今でも運営されている。

> ケイシーさんは、リーディングで油田のありかを知ろうとして、ミカエル様に叱られたことがあるのです。ほかの人を治療するためならともかく、私利私欲のために天使を利用するなんて"めっ"なのですよ！

近代の天使

illustrated by ga015

天使じゃなくて天狗だよ♪
じゅすへる

名前の意味：ルシファーが変化したもの？　別名：じゅすへる、るしへる
出典：キリシタンの聖典『天地始之事』など

日本版の堕天使「ルシファー」

　室町時代に日本に伝来したキリスト教は、豊臣秀吉や江戸幕府に迫害され、信者たちは「かくれキリシタン」となって密かにその教えを受け継いでいった。彼ら「かくれキリシタン」の教えは、本来のキリスト教の教えから隔絶されているあいだに大きく変質していた。長崎に伝わるキリシタンの物語『天地始之事』には、"じゅすへる"という、キリシタン独自の天使まで誕生している。
　『天地始之事』によれば、じゅすへるは、7名の「天使がしら」のひとりであり、有力な天使だった。あるときじゅすへるは、最初の人間"ゑわとあだん（アダムとエヴァのこと）"や、ほかの天使たちに対して「デウス（神）ではなく自分を崇拝するように」と命じる。この傲慢な発言はすぐに神の知るところとなったが、じゅすへるは神に許しを乞い、許された。
　ところが懲りないじゅすへるは、ゑわとあだんに、禁断の「まさんの実」を食べさせてしまう。怒ったデウスは、ゑわとあだんを下界に追放。ふたたび許しを乞うじゅすへるも今回は許されず、「鼻が長く、口ひろく、手足は鱗、角をふりたて、すさまじく有様」という異形の姿に変えられ、天界でも下界でもない世界「中天」に追放された。ここでじゅすへるは雷の神になったという。
　『天地始之事』の神話の特徴は、罪を犯したじゅすへるが一度は神に許されていることだ。この事実は、信仰を隠すために仏教徒のふりをしなければいけなかったキリシタンにとって、おおいに心の支えとなったことだろう。

キリシタンの天狗とは？

　『天地始之事』をはじめとするキリシタンの物語には、たびたび「天狗」という言葉が登場する。これはキリスト教における悪魔のことなのだ。
　キリスト教の宣教師は、日本にキリスト教を広める際、キリスト教独自の言葉を日本語に翻訳しなければいけなかった。当時の日本には「堕天使」などという言葉はないので、翼を持つ堕ちた天使のことを、堕天使と似た姿の怪物の名前を借りて「天狗」と訳したのである。『天地始之事』でも、じゅすへるに付き従った天使たちは"天狗となって"中天に落とされたと明記されている。

近代の天使

明治時代にかくれキリシタンの人たちも正式なキリスト教に触れたんだけど、自分たちの教えとあんまり内容が違うんで驚くわ、宣教師さんに『天地始之事』も捨てられるわで踏んだり蹴ったりだったみたいだな。

illustrated by フルーツパンチ

真実はいつも自分の中に！
エイワス

英字表記：Aiwass, Aiwaz　別名：アイワス　種別：聖守護天使
出典：『法の書』(1904年　著：アレイスター・クロウリー)

魔術師クロウリーの聖守護天使

「聖守護天使（Holy Guardian Angel）」という言葉がある。これは17世紀のドイツで書かれた魔導書『アブラメリンの書』ではじめて登場した言葉で、一般的なキリスト教の天使とは違う、個人を導く高位の霊的存在のことだ。この概念は18世紀以降に乱立した魔術結社で重視され、魔術師たちは自分の聖守護天使と会話して、自分の心の中に眠っている「真の意志」を自覚することを目指したのである。

理論的には人間の数だけ存在する聖守護天使のなかで、特に広く知られているのが、20世紀最大の魔術師と呼ばれたアレイスター・クロウリーの聖守護天使「エイワス」だ。クロウリーはエイワスとの交信の記録を『法の書』という書籍にまとめて公開し、その理論にもとづく新宗教「テレマ教」を設立した人物である。

クロウリーがエイワスと出会ったのは1904年、日本がロシアと日露戦争を戦った時期のことだ。エジプトの首都カイロに新婚旅行に訪れていたクロウリーは、エジプトの太陽神ホルスの使いを名乗るエイワスと遭遇し、多くのトラブルや儀式を乗り越えて、エイワスとの交信に成功した。クロウリー本人のスケッチによれば、エイワスは頭部に体毛がなく、頭蓋骨が肥大化した外見で描かれている。

エイワスはクロウリーの妻に憑依し、その口を借りてお告げを行った。エイワスによると、これから3日のあいだ、正午から1時間ずつかけて伝授されるので、それを文章にまとめろというのだ。正午になるとエイワスの声は、妻の口ではなく「クロウリーの左肩を通して」聞こえるようになった。この3日間でエイワスから与えられたお告げをまとめたのが『法の書』である。

『法の書』の教え

『法の書』の内容は、書いたクロウリー自身が「よくわからない部分もある」と告白するほど難解で、その真意はつかみがたい。『法の書』に書かれたもっとも有名な言葉に「汝の意志するところを行え。それが法のすべてとならん」という一文がある。誤解されやすいのだが、この文章は好き放題にやれと言っているわけではない。自分の聖守護天使と対話することで、いままで自覚していなかった自分の「意志」を見つけ、それに添って行動することが重要だと説いているのだ。

> 『法の書』の内容は、エイワスって天使じゃなくて、「スト＝トート」っていう別の存在から聞いたっていう話もあるんだよ。クロウリーさん、自分で書いた本の出所くらい、はっきり説明してくれよな～！

illustrated by ぱるたる

参上！　天使なドラゴン！
カンヘル

英字表記：canhel,cangel　名前の意味：竜
出典：マヤ文明の宗教文書『チラム・バラムの予言』

マヤ文明末期につくられたドラゴン天使

　カンヘルは、マヤ文明の最高神官であるチラム・バラムが書いた『チラム・バラムの予言』（15～16世紀）に登場する天使で、「風の竜」とも呼ばれている。文献の本文にはくわしい外見は書かれていないが、同書の日本語版《チラム・バラムの予言》（新潮社）の注釈には「天使というよりはドラゴンに近い姿」と説明されているので、コウモリのような翼、ウロコのある皮膚、鋭い爪など、一般的なドラゴンに近い外見的特徴をそなえている可能性が高い。

　マヤ文明の神話になぜ天使がいるのかと、疑問に思う人もいるかもしれない。じつはこの『チラム・バラムの予言』に書かれた神話は、マヤ文明の伝統的な神話と、キリスト教の神話が融合した形になっている。カンヘルは神によって創造され、神とともに天地の創造を担当した4体の天使なのだ。彼らの体色はそれぞれ赤、白、黒、黄色であり、この4色はマヤ文明では東西南北の方角に対応している。神はカンヘル竜を世界の四方に派遣して、四方の天空を支えさせたのだ。

　世界の創造が終わったあと、神はセルピヌスという名前のカンヘルを創造し、ほかの天使たちに祝福を授けさせたという。カンヘルはキリスト教化したマヤ神話において、重要な役目を果たした天使なのである。

ドラゴンが天使になったわけ

　キリスト教の常識では、ドラゴンは悪魔の化身であり、神聖な天使とはかけはなれた存在だ。善悪相反する存在である天使とドラゴンが融合してカンヘルが生まれた背景には、キリスト教の宣教師たちの布教活動という事情があった。

　ヨーロッパの人々が地球全土に活動の場を広げた大航海時代、キリスト教の宣教師も、アジアやアフリカ、アメリカ大陸などの新天地に神の教えを広めるべく活動をはじめていた。だが独自の宗教を持つ民族に、キリスト教を広めるのは簡単なことではない。そこで宣教師たちは、マヤの神官が持つ権力をあらわす竜頭の杖「カンヘル」を天使と融合させ、天使カンヘルという新しい存在を創造。キリスト教の神話をマヤの人々になじみ深い形に作り替えて、マヤの人々をキリスト教に改宗させようとしたのである。

> へえ、キリスト教の宣教師って頭の固い奴らばっかりだと思ってたけど、ドラゴンと天使を混ぜっこするなんて、柔軟にできるやつもいるんだなあ。ちょっと見直したぜ～。

近代の天使

illustrated by 黒葉.K

その他の天使の小辞典

えー、あんなにたくさん天使さん見たのに、まだいるのだー？
やまもりなのだ、おぼえきれないのだー（汗）

アフ＆ヘマー

ユダヤ教の地獄の天使。炎の鎖で罪人を地獄につなぐ。ユダヤ教の伝説によると、神は預言者モーセが、息子に陰茎の包皮を切除する戒律「割礼」を受けさせなかった罰としてアフとヘマーを派遣し、モーセを頭から飲み込ませたことがある。モーセの妻が息子に割礼をほどこしたため、モーセは解放され、ただちにヘマーを叩き殺したという。

アルミサエル

ユダヤ教における"子宮の天使"で、妊娠や出産を補助するために呼び出される。ユダヤ教の教典『タルムード』では、陣痛を押さえる儀式がうまくいかない場合の最終手段として召喚される。

イアホエル

天の合唱隊の指揮者、あるいは永遠の歌い手とされる天使。その名前に神の4文字「YHVH」が含まれることから、"小さなヤハウェ"と呼ばれることもある。

ユダヤの伝説では、イアホエルは神が作った巨大な水棲怪物「レヴィヤタン」を入れた袋を携帯しているという。

シャムシェル

天使と堕天使の両面を持つ存在で、名前の意味は「日中の光」または「神の強き子」。365個の天使軍団を率い、悪魔と戦う際はウリエルの補佐をつとめる。旧約聖書外典『ヨベル書』では、人間を見張る「グリゴリ」の一員であり、同僚の天使とともに肉欲におぼれて堕天使と化してしまった。

シリン

東方正教会系の伝承に登場する、天国の鳥。鳥の首から人間の頭が生えたような外見で、複数のシリンが声を合わせて美しく歌う。その役目は、歌声によって人間に警告を与えたり、人間が世俗の誘惑やルシファーの傲慢に毒されないように導くことだ。

ゾフィエル

ミルトンの『失楽園』によれば、第二階級の天使ケルビムのなかで最速の天使で、戦場の伝令役として活躍するほか、ミカエルの補佐役を務めることもある。

ナウタ

新約聖書外典『バルトロマイの福音書』に登場する天使。口から火を吐く能力があり、その火を消すために、雪を降らせる杖を持っている。この杖がないと、地上はナウタの炎でひからびてしまうと信じられている。

レハヒアー

名前の意味は「慈悲深い神」。王や統治者を守る天使で、その力で臣下が裏切ることなく服従するようになるという。ただしこの加護は、加護を求める者自身も、自分の上位者に対して忠実でなければならない。王や統治者にとって自分より上位の者といえば"神"であることは言うまでもないだろう。

近代の天使

もっとくわしく！
天使資料館

**ガブリエル様の
死ぬ気で学べ！ 天使教室**……146
天使の九階級(ヒエラルキア)……148
天国と地獄ガイドブック……158
コラム「キリスト教の宗派いろいろ」……168

聖書 〜Holy Bible〜……169
アブラハムの宗教 +1……185

天界にその名がとどろく偉大な天使のみなさんはいかがでしたかー？ 次は有名な天使ばっかりじゃなくて、天使という存在そのものや、天使を作ったユダヤ教やキリスト教という宗教について、いろんなおもしろいことを教えちゃいますからね！

ガブリエル様の死ぬ気で学べ！天使教室

たくさんの天使を見終わったところで、次は天使や天界そのものについての知識を深めてもらいましょう。そうそう、今回は私だけでなく、ハニャエルにも先生役をやってもらいますよ。さて、今回の授業で使う神学書は……（がさごそ）

きめたのだ。もうめんどい"おべんきょー"はいらないのだ。おっきな天使さんがよそ見してるうちに、お外にでてあそぶのだ。（そろーり）

（がしっと抱きとめ）
メシアちゃん様、今回だけは絶対だめなのです！　ちゃんとお勉強しないと……
ああっ！　鉄が！　でっかい鉄が降ってくるのです！（ぶるぶる）

やべっ、ひさしぶりにハニャ天のトラウマ直撃しちまった！
メシアちゃん、ガブリエル様は無礼者とかナマケモノにはまったく容赦ないんだよ！　授業から逃げたりしたら、あのごっつい OSHIOKI 棒が飛んでくるぞっ！

あら、心配いりませんよ？　なにせ光の救世主様に使うものですし、いつもより**ほんのすこし**威力を落としました。さあ、授業の準備はいいですね？

は、はいー!!

いろいろあるよ！　天使の設定

さ、ここからは天使や宗教についていろんなおもしろい知識を紹介しちゃうわけなんだけど、基本的に天使の知識にはいろいろな学説があって、食い違う学説があることも多いってことに注意してほしいわね。この本では特に指摘がない場合、キリスト教の最大宗派「カトリック」のなかで主流の意見を紹介するわよぉ。

「神学」ってなんだ?

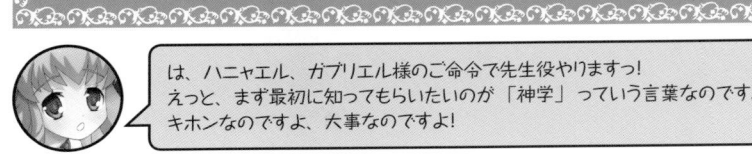

> は、ハニャエル、ガブリエル様のご命令で先生役やりますっ!
> えっと、まず最初に知ってもらいたいのが「神学」っていう言葉なのです。
> キホンなのですよ、大事なのですよ!

　神学とは、神の教えは正しいという前提のもと、神が作った世界の仕組みを、理論的に解明する学問です。現代の常識では無意味なことに思えますが、かつては神が存在することは絶対的な事実と考えられており、神の教えを研究したり、世界の仕組みを宗教的常識にのっとって研究するのは、最先端の立派な学問だったのです。
　キリスト教の神学では、天使の存在も神が作った世界の一部であるため、天使を理解するためには「神学という学問があり、そのなかに天使の研究が含まれる」ということを知っておいた方がよいでしょう。

天使学とは?

　キリスト教神学のなかで、天使のことを中心に研究する分野のことを「天使学」と呼びます。天使学者として有名な人物には、「天使博士」の異名を取った中世最大の神学者「トマス・アクィナス」や、天使の階級などを定め天使学の基礎を作った「偽ディオニシウス・アレパギダ」などの人物がいます。次のページからは、偽ディオニシウス・アレパギダの著書である天使の研究書『天上位階論』を題材に、天使の世界を紹介します。

天使があるなら悪魔もあるよ

神学のなかに、天使を研究する「天使学」があるように、悪魔を研究する「悪魔学」って分野もあるんだぜ。
悪魔学っていうのは、キリスト教の神学者たちが、悪魔の誘惑から人間を守るために、悪魔の性質を研究しようっていう目的で生まれた学問なんだ。
キリスト教では、悪魔っていうのはぜんぶ天使が悪に染まったものだって考えてるから、天使学と悪魔学は表裏一体、仲の悪い兄弟みたいな関係なのさ。
悪魔学についてくわしく知りたかったら、この本の姉妹本《萌える! 悪魔事典》を読んでくれよな!

天使の九階級
Hierarchy of angels

えと、これまで天使のみなさんを紹介するときに「大天使」とか「熾天使」のような言葉を使ってたのをおぼえてますか？ 実はこれ、天使のお仕事の内容を9つの階級に分けたもので、「天使の9階級」って呼ばれているんです。

『天上位階論』の天使九階級

キリスト教の神学では4世紀ごろから、『新約聖書』の記述にヒントを得て、天使は9つの階級に分かれているという意見が一般的になっていました。この天使の階級を確固たる仕組みとして確立させたのが、5世紀ごろに書かれた『天上位階論』という神学書でした。

『天上位階論』では、9階級の天使を、3種類ずつ3つの位階に分類し、キリスト教の基本教義である「父と子と聖霊」の三位一体（→p186）に対応させます。上位三隊は父（神）に対応し、神の近くで働く天使。下位三隊は聖霊に対応し、人間の世界で働く天使。中位三隊は子（イエス・キリスト）に対応する、上位と下位のつなぎ役としています。

天使の9階級

上位三隊	熾天使 / 智天使 / 座天使	神に近い ↑
中位三隊	主天使 / 力天使 / 能天使	
下位三隊	権天使 / 大天使 / 天使	人に近い ↓

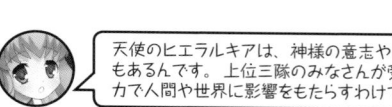

天使のヒエラルキアは、神様の意志やエネルギーを、世界に広げていくための仕組みでもあるんです。上位三隊のみなさんが受け取った神様の力を下位の天使に配って、その力で人間や世界に影響をもたらすわけですね。

あれ？ "大天使"って、9人のなかの8ばんめなの？
ガブリエルさんみたいなえらい天使じゃなかったっけ？
うーん、なんでこんな低いのだー？

熾天使

英語：Seraphim（セラフィム）
ラテン語：Seraphim（セラフィム）
位階の指導者：ミカエル、メタトロン、ルシフェルなど

熾天使とは、ヘブライ語の「セラフィム」を日本語に翻訳した名前で、「火を発する者、熱する者」という意味があります。炎の天使である熾天使は、天使9階級の上位三隊のなかでも最高位に位置づけられる天使です。

燃やし焼き尽くす炎の天使

「聖なるかな、聖なるかな、聖なるかな」と、神を3回たたえる賛美歌の一節「三聖頌（さんせい）」は、『旧約聖書』の『イザヤ書』において、熾天使が神の近くを回りながら歌った言葉からとられたものです。このように熾天使は、神のもっとも近くを回り続け、その意志を誰より早く知るとともに、体からあふれだす浄化の力であらゆる闇の存在を焼き尽くし、下位の天使をより高みに引き上げる存在です。

熾天使の外見

『イザヤ書』によれば、熾天使は6枚の翼を持つ天使です。熾天使は6枚の翼のうち2枚で神の顔を隠し、2枚で足を隠し、残る2枚の翼で飛翔します。宗教画では多くの場合、右のように無数の目がついた6枚の鳥の翼の中心に顔がある姿で描かれます。ただし一般的な天使と同じく人型の外見をとり、王笏（おうしゃく）か天球を手に持つ姿で描かれることもあります。

フランスのモン・サン・オディール修道院に描かれた熾天使のモザイク画。

もうひとつの姿は「炎の蛇」

熾天使は、旧約聖書の『イザヤ書』だけじゃなくて、『民数記』って本にも出てくるんだけど、こっちの熾天使は「炎の蛇」の姿をしてて、神様に文句を言ったユダヤ人を焼き殺しちゃう、こわーい天使なんだぜ。聖書で蛇っていったら、エヴァを誘惑したサタン様が有名だけど、天使にも蛇がいたんだなあ。

智天使(ちてんし)

英語：Cherubim（ケルビム）
ラテン語：Cherubim（ケルビム）
位階の指導者：ガブリエル、ラジエル、ヨフィエルなど

智天使は、『旧約聖書』にはケルビムという名前で登場しています。4つの頭を持つ異形の姿で知られるほか、何かを知覚する能力と、知恵や知識にすぐれ、神の力を下位の天使たちに伝える役目を持っています。

その目で神を視る天使

智天使はなにかを認識する能力にすぐれており、その目で神を視ることができる数少ない存在です。智天使たちは神から与えられる力を直接受け取って、自身の知恵とともに下位の天使に渡します。また、旧約聖書の『サムエル記』では、神がケルビム（智天使）にまたがって座るという描写があり、神の乗り物としても活躍しています。

旧約聖書の『エゼキエル書』に登場する智天使の外見は、人間、獅子、牛、鷲という4つの頭と4枚の翼を持ち、一面に目玉がついているという異形の存在です。ただし智天使は人間に近い姿で描かれることもあります。また、現在ではキューピットの名前で知られる子供の姿の天使「プット」も、智天使の階級にある天使だといわれています。

楽園の番人

『旧約聖書』の物語の名場面にも、智天使の姿があります。知恵の実を食べたアダムとエヴァが楽園を追放されたとき（→p178）、神はケルビムを作り、炎の剣を持たせて楽園を守らせたといいます。

炎の剣を持ってアダムとエヴァを追い出す、人間型のケルビム。17世紀オランダの画家、コルネリス・ファン・プーレンブルフ画。

イスラム教のケルビム

イスラム教徒のみなさんは、ケルビムさんを「カールービーム」っていう名前で呼んでるのよぉ。神様のこと以外なんにも考えていない忠実な天使さんね。アラブには、カールービームさんたちは、人間が犯した罪に対して、四大天使のミーカール様が涙を流したときに、その涙から生まれた天使だ、っていう伝説もあるそうよ〜。

座天使(ざてんし)

英語：Thrones（スローンズ）
ラテン語：Thronus（トロウヌス）
位階の指導者：ラジエル、ザフキエル、オファニエルなど

座天使の座とは、神が座る場所のことをあらわしています。彼らはいつも神の座の近くにいる天使で、あらゆる低劣な者から影響を受けないため、両者の特徴をあわせて「不動の天使」と呼ばれます。

神の座にもっとも近くある天使

神の座の近くにあり、神が万物のために与える力を受け止める役目を与えられた座天使は、上位三隊を占める天使のなかで異色の存在です。熾天使と智天使は、それぞれセラフィム、ケルビムという名前で聖書に何度も登場していますが、座天使が天使としてはっきり描写されているのは『新約聖書』の一文だけです。

伝統的には、旧約聖書『エゼキエル書』第一章で、ケルビムの横に浮かんでいる「オファニム」という存在が、座天使であると解釈されます。このオファニムは、車輪の中に別の車輪が入った二重構造になっているため、前後左右に自由に動くことができます。そして輪の外縁部には無数の目がついていて、宝石のように輝きながら閃光を放ち、ケルビムの乗り物として常にその横にあるのだといいます。

『エゼキエル書』を題材にした、17世紀ドイツの版画。右側の車輪がオファニム、左の獣じみた天使がケルビムである。

オファニムはガルガリムという名前で呼ばれることもあります。ガルガリムとはヘブライ語で「球体、天球」をあらわす言葉で、2つの車輪が組み合わさって球体のようになったオファニムの姿にぴったりあう名前です。

上位三隊とは？

『天上位階論』に書かれている上位三隊のみなさんは、神様のそばに仕える天使だという共通点がありますね。神様から与えられる力やメッセージは、あまりに強かったり、理解しにくかったりするので、まずは上位三隊のみなさんが受け取って、より下位の天使さんでも受け取れるように変換してあげるんですよ〜。

主天使
しゅてんし

英語：Dominions, lords（ドミニオンズ、ローズ）
ギリシャ語：Kyriotites（キリオティティス）
位階の指導者：ザドキエルなど

主天使の主とは「主権、統治権」のことです。現在では法律用語として使われていますが、本来この言葉は、神が世界を統治する権利のことで、主天使は神の主権をより下位の存在に分け与える天使なのです。

神威を手にした不屈の天使

神の主権を行使する主天使は、より下位の天使の働きを統括する役目を与えられています。『天上位階論』の作者である偽ディオニシウス・アレパギダによれば、主天使は常に神の主権と連携を保っているので、神以外の何者にも隷属せず、地上に存在するあらゆる低劣な性質をまったく持ちません。そのため主天使の加護は、みずからを（神の主権によって）高め、邪悪な者から守る力を与えます。

宗教画などに描かれる主天使は、多くの場合手に王笏を持った姿で描かれます。この王笏は、神の主権の象徴だと考えられています。

聖書における主天使

聖書およびその外典偽典では、主天使は名前が出ることはありますが、具体的な活躍を見せることは滅多にありません。例外が旧約聖書偽典『アダムの誓約』で、この本では主天使は地上の王国を支配する天使だとされ、地上の戦いの結果を定める権限があるのだといいます。

中位三隊とは？

誤解を恐れずに言うなら、中位三隊ってのは変電所とか翻訳機みたいなもんなんだよ。神様の力とかメッセージとかは、まず上位三隊の天使が受け取るわけだけど、そのままじゃ高尚すぎてわけわかんねーから、下位の天使にもわかりやすいように、具体的な内容に変換するのが中位三隊の仕事なのさ。

力天使

英語：Virtues（ヴァーチューズ）
ギリシャ語：Dynameis（デュナメイス）
位階の指導者：ミカエル、ラファエルなど

力天使の力とは、肉体的な力ではありません。この力とは、神の力によって地上に奇跡を起こすときの「力」をあらわしているのです。力天使は地上に奇跡を起こすほか、人間を宗教的な美徳（virtue）に導きます。

奇跡を起こし勇気を与える

奇跡を起こす天使である力天使は、下位の天使や人間に、勇気と宗教的美徳をもたらす天使でもあります。力天使の加護を受けた存在は、神の意志に添う善行を行うにあたって、臆病風に吹かれて善行をためらうことが一切なくなるといいます。

力天使は英語では「Virtues（美徳）」と呼ばれますが、ギリシャ語で力という意味の名前を持つ「デュナメイス（Dynameis）」も、力天使の一員だとされることがあります。ただしデュナメイスはキリスト教でもユダヤ教でもなく、ギリシャ哲学から生まれた天使的存在です。彼らは力天使ではなく能天使だと解釈されることもあるほか、その名前は悪魔の名前としても使われるなど、広範な意味を持っています。

四季と精霊をあやつる天使

力天使は、自然現象と関係の深い天使です。四季の移り変わりや天候、そして地水火風の四大精霊などは、神が力天使を通じてあやつっています。

ただし、実際にこれらの要素について現場での責任を負っているのは、力天使から力を受け取った下位三隊の天使たちです。

聖書のなかの力天使

新約聖書でイエス・キリスト様が天に昇るとき、左右にふたり組の天使がついてイエス様を先導したそうです。このおふたりは「昇天の天使」と呼ばれていて、どちらも力天使階級の方だったそうですよ。イエス様の昇天のお手伝いか、そんな花形のお仕事を任されるようになりたいのです〜。

能天使
のうてんし

英語：Power（パワー）、オーソリティー（Authorities）
ギリシャ語：Exusiani（エクスシア）
位階の指導者：サマエル、カマエルなど

能天使の能とは「能力」の能です。この能力とは、上位三隊を通して神から与えられるものを、整然と秩序だった形に整理し、より下位の者に渡すことと関係しています。いわば能天使は「調和の天使」なのです。

悪魔を滅ぼす護法の戦士

能天使は、神の力を秩序ある形で下位の存在に分け与えるほか、戦士として悪魔と戦うという重要な役割を持っています。そのため宗教画などでは、能天使は鎧や盾などで武装した姿で描かれます。能天使は天国の国境を巡回しながら侵入者を見張り、いざ戦いが起これば下位の天使を率いて戦いに赴くのです。

6世紀のローマ教皇グレゴリウス1世によれば、一部の聖人のように、祈りの力で悪霊を追い払うことができる人は、能天使の軍団から力を得ているのだそうです。

悪に染まる能天使

能天使は、平時は天国の国境警備、戦時には悪魔と戦う立場であり、常に悪しき者に触れ続ける生活を送っています。そのため能天使は、9階級の天使のなかで「もっとも堕天しやすい」天使だといわれています。

能天使の階級を指揮する天使としては、サマエル（→p86）やカマエル（→p58）の名前が多く挙げられます。どちらも堕天使、あるいは人間を害する悪の天使と呼ばれることもある存在で、能天使階級のあやうさを象徴する指揮者といえます。

「位階の指導者」とは？

上のほうのデータ欄に「位階の指導者」って触れ込みで天使の名前が紹介されてるけど、これは、その階級の天使を指揮してるのはこの天使らしいですよ、っていうことを紹介する場所なんだ。ただ、これはいろんな神学者や魔術師なんかが好き勝手に主張したことで、宗教的根拠とかは全然ないから気をつけてくれよな。

権天使
けんてんし

英語：Principalities（プリンシパリティーズ）、Rulers（ルーラーズ）
ギリシャ語：Arche（アルケー）
位階の指導者：ハニエル、ケルビエル、ニスロクなど

権天使の権は、権勢を意味します。ここでいう権勢とは、神に与えられた聖なる秩序のことです。権天使は上位の天使から預かった聖なる秩序を運用し、人の世が正しく治められるよう指示をくだすのです。

あらゆる人類の導き手

権天使は、人間と直接関わる下位三隊の天使のなかで最上位に位置する天使です。彼らは、神の意志に沿った秩序ある統治が行われるために、より下位の天使たちを通じて、地上において神の権勢を代行する立場である国王たちに、するべきことを教えるのです。

キリスト教の伝説を集めた『黄金伝説』などの資料によれば、権天使は特定の「国家」を導く役割を与えられています。例えば旧約聖書『ダニエル書』には「ペルシアの君」という表現がありますが、キリスト教ではこれを、ペルシアという国を担当する権天使のことだと解釈します。

権天使は、二枚の翼を持つ兵士で、鎧の上にローブをまとい、黄金のベルトを身につけています。頭には冠、手には剣、笏などを持ちます。

下位三隊の役割分担

権天使
国家の守護天使（フランス）

大天使
都市の守護天使（パリ）

天使
個人の守護天使

下位三隊とは？

下位三隊は、地上で働く天使のみなさんです。中位や上位のみなさんとちがって、地上に特定の「持ち場」があるのが特徴なのですね。権天使さんは国家とか教会、大天使さんは都市、天使さんは個人個人が持ち場です。自分の守護する人たちを、悪から守ったり、正しく導くのが、下位三隊のお仕事なのですよ～。

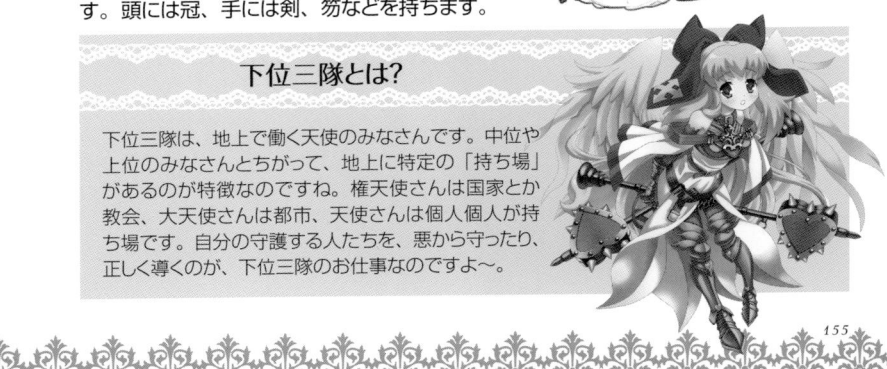

大天使
だいてんし

英語：Archangel（アークエンジェル）
ギリシャ語：Archangeloi（アルハンゲロイ）
位階の指導者：メタトロン、ミカエルなど

大天使は、『天上位階論』が定めた九階級の天使のなかでもっとも特殊な性質を持つ階級です。大天使は多くのキリスト教徒に「もっとも力ある天使」と信じられる一方、位階のうえでは下から二番目の階級に過ぎないのです。

天使の長か天界の兵士か

『天上位階論』に登場する大天使は、天使9階級の8番目に位置する天使です。彼らは背中から2枚の翼を生やし、カトリック教会の聖職者「助祭」のような服装であらわれます。その役目は権天使（→p154）と天使（→p156）のつなぎ役であり、神と人間を直接つなぐときの連絡係でもあります。また、キリスト教の伝説をまとめた『黄金伝説』によれば、大天使は、地上で特定の都市や村落の守護を担当する天使だといいます。

ちなみに本来の教義の「大天使」とは、卓越した力を持つ天使全体の指導者です。ただしこの概念は「9階級の8番目」とする『天上位階論』と整合性がとれないため、後世の神学でも、ミカエルなど有名な大天使の地位が明確にされていません。

兵士としての大天使

大天使は、天界の軍隊における一般兵卒として、悪との戦いに参加します。彼らは鎧を着込み、長い槍を持つと、古代ギリシャの軍隊のように陣形を組んで、悪しき存在と戦うのです。

天使9階級を描いた18世紀ギリシャの宗教画より、甲冑を着た大天使たちの軍団（一部切り抜き）。

大天使？ 熾天使？

天使のなかで一番偉大なミカエル様は、新約聖書で「大天使」だってハッキリ書かれてるんですけど、一番偉いミカエル様の位階が8番目だなんて不思議ですよね？だからキリスト教徒のみなさんは、ミカエル様たち偉大な大天使の皆様は「大天使であり、熾天使でもある」なんて解釈したりするんです。

天使
てんし

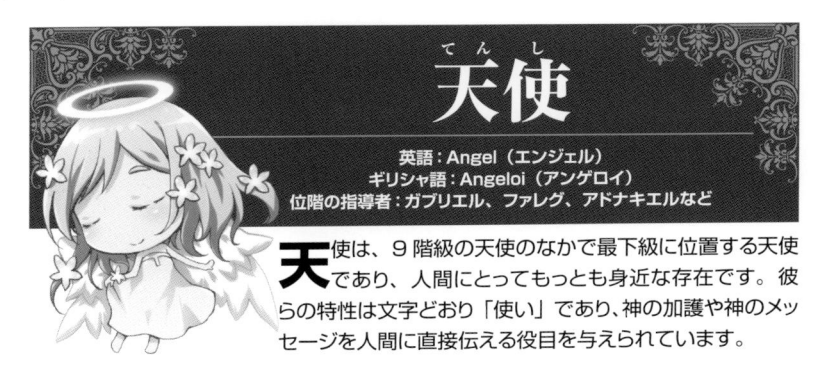

英語：Angel（エンジェル）
ギリシャ語：Angeloi（アンゲロイ）
位階の指導者：ガブリエル、ファレグ、アドナキエルなど

天使は、9階級の天使のなかで最下級に位置する天使であり、人間にとってもっとも身近な存在です。彼らの特性は文字どおり「使い」であり、神の加護や神のメッセージを人間に直接伝える役目を与えられています。

人間を守り神意を伝える

本項で紹介する「天使」とは、いわゆる天使全体ではなく、『天上位階論』で9階級の最下位に位置づけられた存在のことです。この項目では、9階級の最下位である天使のことを、カギ括弧をつけて「天使」と表記し、天使全体と区別して紹介します。
「天使」の役割は、神の意志や力を、人間に直接伝えることです。9階級の最下位ではありますが、「天使」は9階級のなかで、ある意味もっとも重要な階級です。上位三隊が神から受け取り、中位三隊が意味のある形に変換した神の力を、権天使や大天使を通して受け取り、人間に直接注ぎ込むという「最後の締め」を担当するのが「天使」だからです。

「守護天使」とは?

「天使」の重要な役割のひとつに「守護天使（→p194）」があります。これは人間が生まれた瞬間からひとりまたはふたりの天使がつき、人間の人生を見守るというものです。
このため「天使」階級に所属する天使の数は膨大なものになっています。一説によれば、神は民族ごとの「天使」の数にあわせて、民族が暮らすべき領域の広さを決めているのだといいます。

天使の数

キリスト教の神学者は、世の中に天使が何体くらいいるのかってことを長いこと議論して、40億だとか4億だとか具体的な数字をいろいろ出してるんだ。いま世界人口が60億くらいだから、もっと増えてるんだろうな～。ま、今じゃ「宇宙には必要なだけ天使がいる」っていう考えが主流だから、数を数える意味はないんだけどな。

「天国」と「地獄」ガイドブック

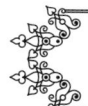

死後の世界って興味あります？ 世界中のいろんな宗教が「死んだあとにどうなるのか」を説明してますけど、キリスト教の場合はどうなってるのかを教えちゃおうと思います。さあメシアちゃん様、さっそく天国に行ってみましょう～！

キリスト教では、死んだ人はどうなるか？

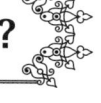

こないだ、近所のおじーちゃんのおそーしきに行ったとき、シスターが「お爺様は天国に行った」っていってたのだ。
てんごくにいくって、どーゆーことなのだー？

　キリスト教では、人間には肉体と霊魂があり、肉体が死亡すると、霊魂はこの世とは違う場所に行くと信じられています。死者の魂は、死亡後すぐに地上から離れ、生前の行いに応じて、天国や地獄などのしかるべき場所に送られます。

　ただしこの措置は一時的なものにすぎません。キリスト教の神学では、いずれこの世界では「最後の審判」という重大なイベントが起こり、死者の行く末があらためて定められることになっているのです。

最後の審判とは？

　最後の審判とは、世界の終わりに際してイエス・キリストが降臨し、すべての死者を肉体のある形で復活させる出来事です。地上によみがえった死者は、あらためて神の裁判を受け、その後の永遠の人生を、天国で過ごすのか地獄で過ごすのかが決まるのです。

右のページの「辺獄」のとこでもちょっとだけ触れてるけど、キリスト教を信じてない人が天国に行くのははなーり難しいぜ。この本を読んでる日本人のみんな、地獄で会ったらよろしくなー！

キリスト教の死者のその後

　以下の表は、キリスト教の信者が亡くなってから、最後の審判を受けてその後の運命が決まるまでの流れです。それぞれの場所がどんなところなのかを紹介します。

キリスト教の死生観 〜死から最後の審判まで〜

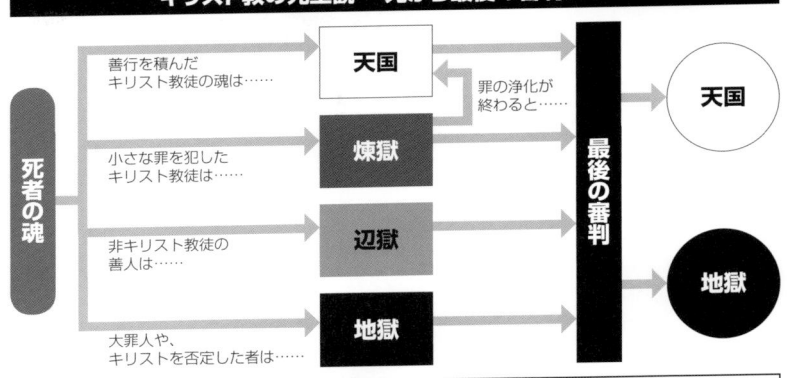

死者の魂
- 善行を積んだキリスト教徒の魂は…… → 天国
- 小さな罪を犯したキリスト教徒は…… → 煉獄
- 非キリスト教徒の善人は…… → 辺獄
- 大罪人や、キリストを否定した者は…… → 地獄

煉獄 → 罪の浄化が終わると…… → 天国

天国・煉獄・辺獄・地獄 → 最後の審判 → 天国／地獄

天国
　天国とは、善良な死者が到達する理想の楽園です。神と天使が住む場所であり、死者の魂は、ここで神の祝福を授かり、生前のあらゆるしがらみから解放されて幸福に暮らすといわれています。

煉獄（れんごく・せいれん）
　天国に行けるほど清廉ではないものの、地獄へ送られるほど重大な罪を犯したわけではない死者の魂は、煉獄という場所に送られます。煉獄とは死者の魂を浄化するための修行場のような場所で、ここで何百年もかけて罪をつぐなえば、その魂はただちに天国に行くことができます。

辺獄（へんごく）
　辺獄は、キリスト教徒以外の善人が死後に送られる場所です。キリスト教誕生以前に死んだ者、生涯を通してキリスト教に出会わなかった者などがここに送られます。辺獄は喜びも苦しみもない無味乾燥な場所ですが、最後の審判のあと、辺獄にいる人々は天国へ行けることがほぼ確定しています。

地獄
　神の威光を否定したり、重大な罪を犯した者は、地獄へ送られます。地獄は悪魔たちが管理する場所で、地獄へ送られた死者の魂は、生前の罪の内容にあわせた責め苦を受け続けることになるのです。

> 最後の審判の前に送られる天国や地獄と、審判のあとにあらわれる天国や地獄は、基本的に同じものなんだそうです。だけど最後の審判のとき、すべての人たちが肉体を手に入れているので、天国の喜びも地獄の苦しみも、ただの霊魂だったときとは比較にならないくらい大きく感じるんだそうですよ〜。

『神曲』の天国と地獄

> 死んだ人の魂が、そのあとどうなるのかは大体わかりましたよね？ それじゃあ次は、天国と地獄がどんなところなのか、実際に行ってみましょう！ 案内するのは、キリスト教文学として名高い『神曲』で紹介されている天国と地獄ですよ。

> きりすときょーぶんがく？「ぶんがく」ってことは、おとぎばなしなのだ？ どうせ見にいかなきゃダメなら、本物のほうがいーのだ。

> たしかに『神曲』は架空の物語ですけど、キリスト教の神学にとてもくわしかった、ダンテさんという方が書いているので、当時多くの人が信じていた天国や地獄の様子がとっても正確に書かれてるんです。神学的にも評価が高いのですよ～。

> そもそもキリスト教は「天国や地獄はこんなところだ！」ってガッチリ決めてないから、天国や地獄の中身はわりと信者の解釈まかせなんだよ。『神曲』みたいにまとまった形で、天国と地獄を紹介してるものは珍しいんだぜ。

『神曲』とは？

『神曲』は、14世紀初頭の詩人「ダンテ・アリギエーリ」の長編文学です。作者のダンテ自身が物語の主人公となり、さまざまな案内役に導かれながら、地獄、煉獄、天国を旅するという内容の物語です。

ダンテ自身は神学の専門家ではありませんでしたが、新約聖書の外典など多くの資料をもとに構築されたダンテの天国、煉獄、地獄は宗教的に破綻の少ないものでした。同時代の有名人、古代の英雄や学者などをふんだんに配置したおもしろい内容も相まって、『神曲』は多くの人に読まれ、中世のヨーロッパ人がイメージする天国像と地獄像の基本となったのです。

『神曲』を題材にした壁画。手前にダンテ、奥に煉獄山が描かれている。1465年にイタリア人画家のドメニコ・ディ・ミケリーノが、イタリア中部、フィレンツェのサンタ・マリア・デル・フィオーレ大聖堂に描いたもの。

> あ、そうそう。どの文献を「正典」にして、どれを「外典」にするかは、宗派によっても違うのですよ。例えばキリスト教の一派「プロテスタント」では、「カトリック」の正典のうち7つの文献を、聖書の正典だと認めてないんです。

『神曲』の天国

まず最初に案内するのは、われわれ天使がいい人を連れてきて一緒に暮らしてる「天国」についてなのですよ。天国のきれいな景色を見れば、メシアちゃん様もきっとよい子に戻るはずなのです！

『神曲』の天国は宇宙にあります。当時のヨーロッパでは、2世紀ごろの天文学者プトレマイオスが提唱した「天動説」の宇宙観が一般的でした。この宇宙観では、球体の地球のまわりに、球体の殻が複数かぶせられていて、それぞれの殻の表面に、内側から順番に月水金日（太陽）火木土の7天体があり、一番外側の8層目を星々が周回しています。

『神曲』で採用された天国像は、プトレマイオスの天動説から生まれ、キリスト教徒に広まっていたもので、8層目の天球の外に2つの天球があり、さらに外に神の住み家があります。それぞれの天球の内部は天国の一部なので、天国は10層構造になっています。

『神曲』の十層の天国

至高天	真の天国。白い薔薇の花のようなものがあり、その中心に神が座している
原動天	9階級の天使（→p148）がいる天国
恒星天	旧約聖書に登場する聖者たちが住む天国

※土星天から恒星天に入るには「ヤコブの梯子」を昇る必要があります。

土星天	神への信仰ひと筋に生きた人の天国
木星天	正義を愛した統治者たちが住む天国
火星天	キリスト教を守るために戦った者の天国
太陽天	徳の高い神学者が住む天国
金星天	善行を積んだが、恋愛の情熱に我を忘れたことのある人の天国
水星天	善行を積んだが、名誉欲を捨てられなかった人の天国
月光天	神との契約を完全には守りきれなかった人の天国

ヤコブの梯子

地球

ヤコブの梯子ってなんなの？

旧約聖書の『創世記』で、ヤコブさんって人が見た夢の中に、天使たちが「天と地をつなぐはしご」を上り下りしてる場面が書かれてるんだ。ヤコブさんの夢に出てきたはしごだから「ヤコブの梯子」ってわけ。あ、ちなみに『神曲』のヤコブの梯子は、土星天と恒星天をつなぐだけで、地上まではつながってないぜ。

『神曲』の地獄

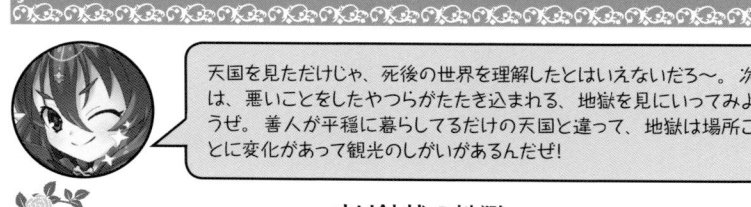

天国を見ただけじゃ、死後の世界を理解したとはいえないだろ～。次は、悪いことをしたやつらがたたき込まれる、地獄を見にいってみようぜ。善人が平穏に暮らしてるだけの天国と違って、地獄は場所ごとに変化があって観光のしがいがあるんだぜ！

すり鉢状の地獄

『神曲』の地獄は非常に巨大です。地獄はすり鉢状の構造になっていて、入り口は地上にあるのですが、最深部は地球の中心まで伸びているのです。

この地獄は9層構造で、犯した罪が深刻で重大なほど、より深い階層の地獄に送り込まれ、より辛い責め苦を受けることになっています。

地獄の最深部では、悪魔の首領ルシファーが半身を氷漬けにされています。『神曲』のすり鉢状の地獄は、天から落ちてきたルシファーを受け止めるのを嫌がった大地が身をよじった結果、地面に裂け目ができ、最深部にルシファーが突き刺さってできたものです。

地獄の最深部には細長い通路があり、地球の裏側までつながっています。そこには軽度な罪を犯した者が罪をつぐなう煉獄山があります。

地獄の入り口は、キリスト教の聖地エルサレムにあり、その裏側には煉獄の山があります。

『神曲』の地獄と七つの大罪

『神曲』の地獄とか、このあと紹介するつもりの「煉獄」では、人間が犯した罪を「7つの大罪」っていう基準に照らしあわせて、どの罪を犯したかによって、地獄や煉獄での行き先を決めてるんだ。
7つの大罪には「傲慢、嫉妬、憤怒、怠惰、強欲、暴食、色欲」の7種類がある。この本の姉妹本《萌える！悪魔事典》でくわしく紹介してるから、興味がわいた人はそっちも読んでくれよな！

『神曲』の九層地獄

地獄の門
地獄の入り口。「この門をくぐる者、一切の希望を捨てよ」と書かれています。

アケローン川
日本でいう三途の川。カロンという渡し守が死者を乗せます。

第一の圏谷
第一層は辺獄（→p159）。キリスト教の洗礼を受けなかった者が永遠の時を過ごす場所です。

第二の圏谷
愛欲者の地獄。肉欲におぼれた者が、荒れ狂う暴風に痛めつけられます。

第三の圏谷
暴食者の地獄。大食らいの罪を犯した者が、三つ首の怪物ケルベロスに食い散らされます。

第四の圏谷
欲張りと浪費家の地獄。これらの罪を犯した者が、重い荷物を転がしながら、お互いののしりあいます。

ディースの市
地獄の第5圏と第6圏を区切る城塞で、堕落した天使や重罪人が投獄されます。

第五の圏谷
憤怒者の地獄。怒り狂った罪人が、ステュクス沼の泥の中で殴り合い、お互いの体を食いちぎります。

第六の圏谷
異端宗派の信者や司祭が投げ入れられる炎の墓穴があります。

第七の圏谷
他者や自分に暴力をふるった者が、罪の内容に応じて3種類の輪のどこかに送り込まれます。

第八の圏谷
悪意をもって罪を犯した者が、罪の内容に対応する8種類の「嚢」のいずれかで罰を受けます。

第九の圏谷
裏切りの罪を犯した者が送り込まれる4つの円で、通称コキュートス。最深部のジュデッカには神を裏切ったサタンが下半身を氷漬けにされています。

地獄の最下層には、煉獄につながる細い抜け道があります。

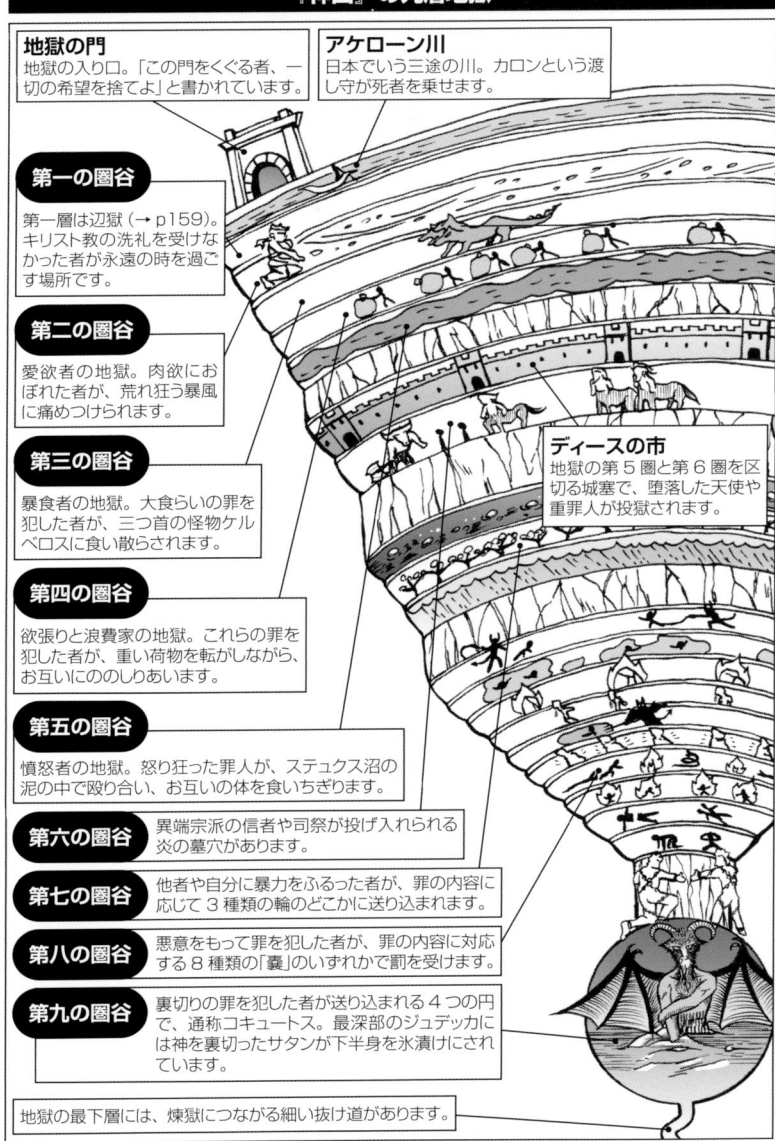

『神曲』の煉獄

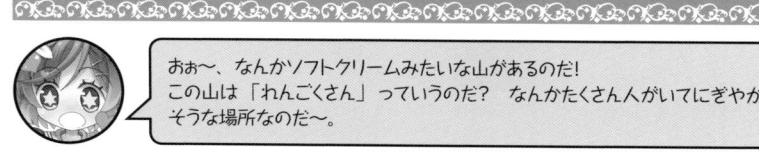

> おぉ～、なんかソフトクリームみたいな山があるのだ！
> この山は「れんごくさん」っていうのだ？　なんかたくさん人がいてにぎやかそうな場所なのだ～。

　煉獄とは、生前に軽度の罪を犯した者が、罪を償って天国へ行くための修行場です。『神曲』の煉獄は、7つの円形の回廊を持つ山のような構造です。死者は煉獄山の入り口で、額に7つの「P」の文字を刻まれ、煉獄山の各層にある「環道」で行われる修行を達成していきます。ひとつの罪が浄化し終わるたびにPの字が消え、次の層へ進めます。最上層に到達した魂は、天国へ向かうことができます。

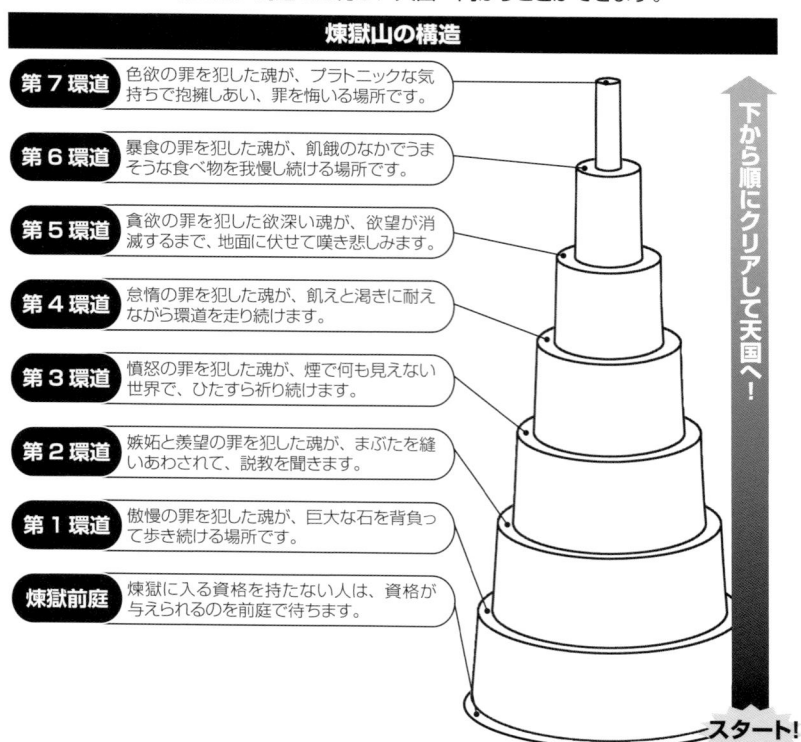

煉獄山の構造

- **第7環道**: 色欲の罪を犯した魂が、プラトニックな気持ちで抱擁しあい、罪を悔いる場所です。
- **第6環道**: 暴食の罪を犯した魂が、飢餓のなかでうまそうな食べ物を我慢し続ける場所です。
- **第5環道**: 貪欲の罪を犯した欲深い魂が、欲望が消滅するまで、地面に伏せて嘆き悲しみます。
- **第4環道**: 怠惰の罪を犯した魂が、飢えと渇きに耐えながら環道を走り続けます。
- **第3環道**: 憤怒の罪を犯した魂が、煙で何も見えない世界で、ひたすら祈り続けます。
- **第2環道**: 嫉妬と羨望の罪を犯した魂が、まぶたを縫いあわせられて、説教を聞きます。
- **第1環道**: 傲慢の罪を犯した魂が、巨大な石を背負って歩き続ける場所です。
- **煉獄前庭**: 煉獄に入る資格を持たない人は、資格が与えられるのを前庭で待ちます。

下から順にクリアして天国へ！

スタート！

いろいろな天国と地獄

ハニャエルたちも言っていましたが、『神曲』で描かれた天国や地獄は、あくまでキリスト教徒のなかで一般的だった例のひとつでしかありません。『神曲』とはすこしちがった天国や地獄を、わたくしガブリエルが紹介しましょう。

天国と地獄の歴史

キリスト教徒の天国と地獄は、その原型となったユダヤ人の死生観から発展、変化してきたものです。

ユダヤ教という宗教が確立した、紀元前5～6世紀ごろのユダヤ人は「シェオル」という死後の世界を信じていました。シェオルはすべての死者が向かう、無味乾燥で、神からも忘れられた世界です。

紀元前3～2世紀ごろになると、シェオルの内部が変化し、善人が住む楽園的な場所と、悪人が送られる地獄のような場所、そしてその中間に変化します。

善人と悪人で死後の行き先が違うという概念はキリスト教にも取り込まれます。キリスト教ではシェオルを「ハデス」と呼び変えたほか、ユダヤ教時代と違い、善良な死者がゆく場所（天国）は、シェオル（ハデス）とは明確に違う場所にあると設定されました。

その後、初期キリスト教がカトリックと正教という二大宗派に分離すると、カトリックはギリシャ哲学や異教の思想を取り入れ、『神曲』で描かれるような天国と地獄を作りあげていったのです。

『神曲』の天国はプトレマイオスさんの宇宙観からできたって161ページで説明したけど、地獄が地球の大穴の中にあるっていうのも、ギリシャの哲学者プラトンさんが考えたの。ギリシャ哲学さまさまね～。

死後の世界の移り変わり

ユダヤ教初期
シェオル
均一な死後の世界

ユダヤ教成熟期
上層／中層／下層
天国と地獄の原型が生まれる

キリスト教初期
天国／地獄（ハデス）
天国と地獄が分離

分裂後のカトリック教会
天国／辺獄／煉獄／地獄
死後の世界の細分化

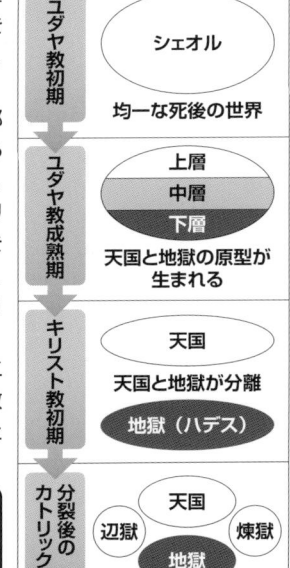

『ペテロの黙示録』の死後の世界

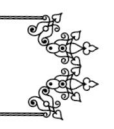

> 最初に紹介するのは、新約聖書外典『ペテロの黙示録』に描かれた地獄です。この地獄は、ダンテの『神曲』で描かれた9層地獄の原型になったことで、キリスト教徒のあいだで有名になった地獄なのですよ。

新約聖書外典『ペテロの黙示録』は、2世紀ごろに書かれたキリスト教の宗教文献です。イエス・キリストの弟子であるペテロが、天使から最後の審判で起きることを見せられたという内容で、地獄についてのくわしい描写で知られます。

この本によると、最後の審判で地獄行きが決まった人間は、大地に空いた大穴の底に落とされ、そこで生前に犯した罪の種類に対応する小さな穴に放り込まれます。そこで罪の内容にあわせた、凄惨きわまる責め苦を受けることになります。

> 新約聖書の外典には、地獄をくわしく描写した作品がほかにもたくさんあるのよ〜♥ でも教会では「あんまりエグい地獄は御法度」ってことになっているから、こういったエグい地獄が描かれた文献は聖書から外されちゃったのね。

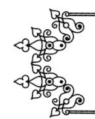

千年王国

> みなさん、「ミレニアム」という言葉に聞き覚えはありますか？ 前世紀末にさかんに語られた言葉ですけれど、これは「千年紀」という意味で、キリスト教的には、最後の審判の前に出現する「千年王国」のことでもあるのです。

千年王国では現実と同じ肉体が与えられ、おいしい食事と楽しい暮らしが保証され、子供を作ることもできます。そのため信者のなかには、審判後の天国よりも千年王国のほうを心待ちにする者が多かったといいます。

「最後の審判」のあと、人間は肉体を持って復活し、天国か地獄で永遠の生を得ます。この肉体は霊的なもので、物質的なしがらみから解放されているというのが一般的な解釈です。逆に言えば審判後の天国では、物質的幸福は満たされないのです。

「千年王国」とは、新約聖書『ヨハネの黙示録』に預言された、最後の審判の千年前にあらわれる国です。信仰ゆえに命を落とした"殉教者"のみが復活し、イエス・キリストの統治する千年王国の国民となります。

『失楽園』の天国と地獄

キリスト教世界を題材にした文学作品といえば、『神曲』と双璧をなす作品として、イギリス人作家ジョン・ミルトンの『失楽園』があげられますね。『失楽園』の世界観も、『神曲』とは違う独特のものになっていますよ。

『神曲』の地獄は地球の中にありましたが、『失楽園』の地獄は、地球の外側にあります。

『失楽園』の物語は、神が世界を創造する、旧約聖書の『創世記』冒頭の場面から始まります。神がこの世界を作る前、宇宙には天国と地獄があり、それ以外の場所は混沌に包まれていました。神は世界を創造すると、世界を天国から鎖にぶら下げ、地獄との中間に置いたのです。

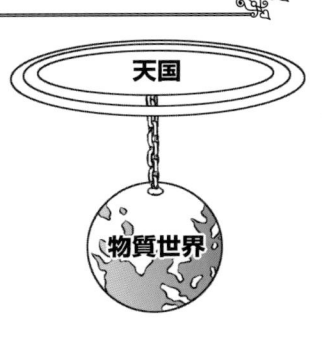

天国と地獄のローカルルール

キリスト教の天国や地獄っていろんな種類があって、「これだ!」って決まった形はない。最初にガブリエル様が説明してたとおりだよな。しかもここまで紹介してきた天国や地獄は、ぜんぶイタリアのローマに大聖堂を置いてる、最大派閥の「カトリック」っていう宗派のなかでのバリエーションなんだ。カトリック以外の大きな宗派、「プロテスタント」や「正教会」では、天国や地獄の様子は、カトリックと全然違うんだぜ。

煉獄があるのはカトリックだけ!

カトリックの天国や地獄は、聖書だけじゃなくって、キリスト教以外の宗教や哲学の設定をいろいろ混ぜて作ったものなんだ。
いちばん有名なのは「煉獄」かな。そもそも煉獄って、聖書のどこにも書いてないんだよ。カトリック教会の神学者は、聖書に書いてある「生前の罪は死後に償えるかもしれない」って記述をよりどころにして、死者が許される可能性ってやつを模索し続けたのさ。煉獄が『神曲』みたいな形になったのは 12 世紀ごろだったらしいぜ。
そんな感じで後付で作られたものだから、正教会やプロテスタントは、「煉獄なんて存在しない」って主張してるってわけさ。

キリスト教の宗派いろいろ

> キリスト教には種類があるって知ってますか？
> この本ではキリスト教の最大宗派「カトリック教会」の教えをもとに天使をご紹介してきましたけど、ほかにもこんな宗派があるのですよ～。

正教（オーソドックス） 成立年代：11世紀

　ギリシャやロシアなど、ヨーロッパ東部で信仰されるキリスト教宗派です。それまでほぼ一体だったキリスト教の教会が、11世紀に東西分裂した結果誕生しました。カトリックは、このとき分裂した西欧側のキリスト教宗派です。

　正教にはカトリックのように絶対的な総本山がなく、各国の教会が「ギリシャ正教会」「ロシア正教会」のように名乗り、ゆるやかな連帯関係を保っています。

プロテスタント 成立年代：16世紀

　16世紀に起きた、カトリック教会の腐敗を批判する運動「宗教改革」をきっかけにして生まれた宗派の総称です。プロテスタントはカトリック教会が長い歴史のなかで新しく積み上げてきた仕組みを「聖書の教えに反する」と否定し、聖書の教えだけを信仰の基盤としています。また、プロテスタントは「信者すべてが聖職者である」という思想から、カトリック教会のような複雑な階級制度を持ちません。

　プロテスタントの宗派は無数に枝分かれしていて、それぞれが独自の教義を持っています。現在でも多くの信者を持つ宗派としては、バプテスト教会、改革派長老教会、ルター派教会、英国国教会（聖公会）などの宗派が有名です。

そのほかの宗派 成立年代：さまざま

　正教会やプロテスタントのほかにも、キリスト教の分派は無数に存在します。古くは5世紀にイエス・キリストの持つ神性についての意見の違いで分裂した「単性論教会」に始まり、近年ではアメリカの「モルモン教（→p132）」などが有名ですが、これらの宗派はカトリックなどの宗派には「異端」として批判されています。

> あー、そういえば79ページで紹介した「キリスト教グノーシス」も、異端宗派ってことになるのかー。
> キリスト教、いくらなんでも分裂しすぎじゃない？

> べつにキリスト教だけが分裂したわけではありませんよ。イスラム教は開祖ムハンマドさんの死後にすぐ2派閥に割れましたし、イエス様がいた時代のユダヤ教は有名な宗派が4つもありましたからね。よくあることです、ええ。

聖書
Holy bible

聖書ってなんだ？……170
旧約聖書……174
新約聖書……180
聖書の"外典"と"偽典"……184

なあ、世界で一番たくさん発行された本って何か知ってるか？　答えはキリスト教の「聖書」なんだ。世界中で何億人って人が読んでる超ベストセラーの中身を、みんなにちょっとだけ教えちゃうぜ！

聖書とはなにか?

> 天使のことを知るためには、まず天使を作った神様のことを知るべきなのですよー。
> 神様のありがた～い教えがギュッと詰まった本がコレ！ 聖書です!
> みんなで一緒に聖書のことを勉強していきましょう～♪

聖書とは「神聖な文書」のこと

> みなさん『聖書』というと、キリスト教の聖なる書物だ～って思い浮かぶでしょうけど、
> 実は聖書って、キリスト教の信者さんたち以外にも読まれているんですよ。

　聖書とは、宗教的に正しい教えが書かれた文書を、その宗教にとって「神聖で価値のあるもの」だと正式に認定した文書群のことです。聖典、経典、教典などと言い換えることもあります。聖書は、その宗教の理念や戒律を理解するための大事な参考書です。

　キリスト教には、『旧約聖書』と『新約聖書』という2種類の聖書があります。どちらの聖書も、キリスト教の教えを正しく理解する助けになる、数十種類の文献をまとめて作られています。

現在の旧約聖書の基礎となった聖書『マソラ本文』のラテン語訳本。1470年制作。

> すごくくだけた説明をすると、聖書というのは、良い子になるためのお手本書なのですよ。
> 神様の言うことをよく聞いて良い子で暮らすために、いろんな決まりや、昔話が書いてあるんです。さあ、メシアちゃん様も読んでみましょう!

> うー、これ、ぶあつすぎるのだー!
> 学校のきょーかしょ4冊かさねたのよりぶあついのだ。
> よいこになるのは大変すぎるのだ～。

> (一気に全部読もうとしないで、中に入ってる話をちょっとずつ読めば、お話として結構おもしろかったりするんだけどな……ま、良い子になったらこっちが困るし、わざわざ教えてやることもないか!)

『旧約聖書』と『新約聖書』

> さっきも話しましたけど、キリスト教の聖書って2種類あるのですよ。ふたつの聖書がどう違うのか、興味がありませんか？ 実は書かれた時期も書いた人もぜんぶ違うのですよ～。

『旧約聖書』と『新約聖書』は、キリスト教で聖書とされている宗教文献です。このうち『新約聖書』は、キリスト教徒が作ったオリジナルの聖書ですが、『旧約聖書』はそうではありません。

『旧約聖書』は、ユダヤ教の聖書として、キリスト教の誕生よりも300年ほど前に完成していました。キリスト教は、ユダヤ教の『旧約聖書』などの宗教文献から、キリスト教にとって都合のいい文書を選んで"キリスト教の『旧約聖書』"をつくりあげたのです。

ふたつの聖書のできるまで

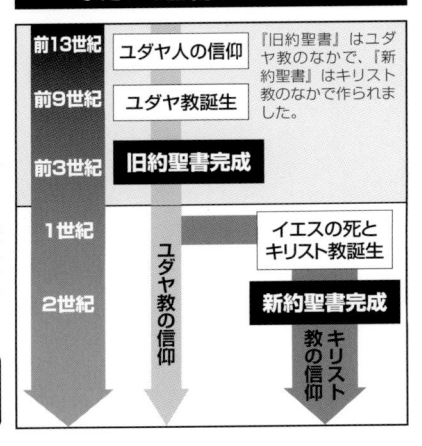

前13世紀	ユダヤ人の信仰
前9世紀	ユダヤ教誕生
前3世紀	旧約聖書完成
1世紀	イエスの死とキリスト教誕生
2世紀	新約聖書完成

『旧約聖書』はユダヤ教のなかで、『新約聖書』はキリスト教のなかで作られました。

> 『旧約聖書』ってのはキリスト教用語なんだ。ユダヤ教では『タナハ』って呼んでるぜ。

宗教ごとの聖書の違い

キリスト教、その前身となったユダヤ教、そしてその両者から生まれたイスラム教という宗教は、同じ神を信仰する、兄弟のような宗教です。そのため、この3つの宗教は、同じ文献を聖書としています。具体的な内訳は右のとおりです。

3つの宗教と、その聖典の対応

	旧約聖書	新約聖書	タルムード（ユダヤ教典）	クルアーン（イスラム教典）
キリスト教	○	○	—	—
ユダヤ教	○	—	○	—
イスラム教	△	△	—	○

> イスラム教は、旧約聖書や新約聖書に敬意は払ってるんだけど、「ユダヤ教徒とキリスト教徒の誤解で、内容をゆがめられている」って考えてるんだ。だから正式な聖典の『クルアーン』にくらべると、重要度は一段落ちて△って感じなわけ。

旧約、新約の「約」とは何か?

> 「きゅーやく」が「旧」だから古くって、「しんやく」があたらしいってことはわかったのだ。じゃあ「約」ってなんなのだー?

神と預言者の約束の書

『旧約聖書』の「約」とは、神と人間の「契約」のことです。キリスト教徒は、かつてユダヤ人と神が結んだ契約を「古い契約」すなわち「旧約」と考えました。そしてイエス・キリストが神と結んだ契約を、新しい契約「新約」と呼ぶのです。

人間は、神の言葉を聞く人間「預言者」を通して、神と契約を結びます。旧約聖書と新約聖書には、以下にあげるような預言者が登場します。

旧約聖書と新約聖書に登場する代表的な預言者

旧約聖書の預言者(ほか多数)
- カイン(アダムの息子)
- ノア(方舟の神話で有名)
- アブラハム(エルサレムの支配権を獲得)
- モーセ(十戒で知られる)
- ダビデ(巨人ゴリアテと戦う)
- ソロモン王(知恵と魔術の王)

新約聖書の預言者
- 洗礼者ヨハネ

> 新約聖書の預言者は、救世主イエス様に洗礼をしたヨハネさんだけなんだ。イエスは神様と同等の存在だから、預言者じゃないぞ!

地獄と契約

みんな、生きてるときに悪いことばっかりやってたやつが、死んだあとに地獄に行くってことは知ってるよな。悪い死者が地獄送りになっちゃうのは、神様との契約を守らなかったからなんだ。
このへんの事情は158ページからの「天国と地獄ガイドブック」で説明したとおりだぜ。地獄行きになりたくないなら、『旧約聖書』と『新約聖書』をきっちり読み直して、神様との契約をおさらいしたほうがいいぜ〜。

聖書の物語の舞台

『旧約聖書』と『新約聖書』には、ふるーい時代からの歴史とか、救世主イエス様がどんな活躍をしたか、という物語がたくさん書かれていますよ。物語に出てくる地名を予習しちゃいましょう！

聖書の物語は、ユダヤ人の住む地であるイスラエルを中心に、中東全土からアフリカ、ヨーロッパにもまたがる広い地域で展開します。物語の舞台がどんなところで、どのような歴史的事件が起きたのかを説明します。

イタリア半島
『新約聖書』でキリストの弟子のひとりが向かい、のちのキリスト教最大派閥「カトリック」の基礎を築いた場所です。当時はローマ帝国という巨大国家の首都でした。

エルサレム
ユダヤ人の王国の首都であり、ユダヤ教にとっての聖地です。ユダヤ教の神殿「エルサレム大神殿」が置かれていました。

カナン地方
南北に流れる「ヨルダン川」の西の地域をカナン地方と呼びます。神が預言者アブラハムに「この地域をユダヤ人に与える」と約束したため「約束の地」とも呼ばれます。

エジプト
かつてユダヤ人は、エジプト人の奴隷としてエジプトで暮らしていたことがありました。この奴隷たちを救い出したのが、海を割る逸話や『十戒』で有名な預言者モーセです。

シナイ半島
ユダヤ人奴隷を率いてエジプトから脱出したモーセが、神との契約「十戒」を授かったのは、このシナイ半島の山でした。

バビロニア
モーセの時代より数百年から千年後、ユダヤ人はこのバビロニアとの戦争に敗れ、イスラエルからバビロニアの首都「バビロン」に強制移住させられていたことがありました。

改めて見てみると、ユダヤ人って苦労してるよなー。こんなに何度も奴隷にされてさぁ。聖書とかを読むときも、こういう事情を考えながら読むと、神様の教えがもっとよくわかるんじゃないか？

旧約聖書
The Old Testament

> さあ！ 聖書の全体的な話はこのくらいにして、さっそくそれぞれの聖書の内容を説明しましょう！
> まずはユダヤ教をはじめに、いろんな宗教の基礎になった偉大な聖書、旧約聖書からですよっ！

旧約聖書の内容とは？

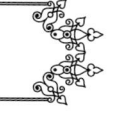

> うわ、なんかすごいたくさん本のなまえがならんでるのだ！
> 「せいしょ」って、こんなにいっぱいご本が入ってるのだ？

　『旧約聖書』は、キリスト教の誕生よりも1000年以上昔、紀元前900年ごろから、ユダヤ人の聖職者たちが何百年もかけて書き残した、複数の宗教文献をまとめたものです。

　この時代に書かれたユダヤ人の宗教文献は、ほかにも無数にあります。下にあげるのは、キリスト教の最大派閥である「カトリック教会」が、1545年に決定した最新の『旧約聖書』のリストです。キリスト教のほかの宗派である「正教会」や「プロテスタント」では、旧約聖書に含まれる文献の内容が異なります。

旧約聖書の46書

～モーセ五書～	～歴史書～		～知恵文学～	～預言書～	
創世記	ヨシュア記	エズラ記	ヨブ記	イザヤ書	オバデヤ書
出エジプト記	士師記	ネヘミヤ記	詩編	エレミヤ書	ヨナ書
レビ記	ルツ記	トビト記	箴言	哀歌	ミカ書
民数記	サムエル記上	ユディト記	コヘレトの言葉	バルク書	ナホム書
申命記	サムエル記下	エステル記	雅歌	エゼキエル書	ハバクク書
	列王記上	マカバイ記1	知恵の書	ダニエル書	ゼファニヤ書
	列王記下	マカバイ記2	シラ書	ホセア書	ハガイ書
	歴代誌上			ヨエル書	ゼカリヤ書
	歴代誌下			アモス書	マラキ書

174

旧約聖書の文献の種類

『旧約聖書』に収録されている46の文献は、その内容によって以下の4種類に分けることができます。そのなかでもっとも重要視されるのは、世界の成り立ちと神との契約について解説している「モーセ五書」という5冊の文献です。

モーセ五書

　世界の成り立ちを描く『創世記』から、預言者モーセの晩年を描いた『申命記』までの5冊は、古くから「モーセ自身が書いた文献だ」と信じられてきたため、「モーセ五書」という名前で呼ばれ、ユダヤ教徒に『旧約聖書』のなかでもっとも重要な文献とされてきました。

歴史書

　『申命記』でモーセが亡くなったあとの、ユダヤ人という民族全体の歩みを、歴史書の形でまとめたものです。激しい戦いによってイスラエルの地を手に入れたユダヤ人が、自分たちの王国を作り、周囲の国々と争いながら発展と衰退を繰り返していく様子が描かれています。

預言書

　神の言葉を聞いて人々に伝える「預言者」の人生と、彼らが残した神からの伝言をまとめた書物です。18冊の預言書のうち、ユダヤ人が三大預言者と尊敬する「イザヤ」「エレミヤ」「エゼキエル」の3人の預言書が、もっとも重要視されています。

知恵文学

　宗教儀式の手順や、信者の生活をよくするための技術論、格言集、恋愛指南、思想書などをまとめたもの。ここでいう知恵とは「成功するための技術」です。ユダヤ教徒は、人間が成功するには神の啓示が必要と考え、これらを聖書におさめました。

聖書を助けた『死海文書』

　『旧約聖書』って今から2300年くらい前に完成したんだけど、「できた当時の文章」は、もうどこにも残ってないんだよな。ほら、あのころって写真とかコピー機とかないから、本を写すのってぜんぶ手書きだろ？　書き写すときに間違ったり、わざと文章を変えるって事がけっこうあるから、「自分たちの聖書は正しいのか？」っていうのがキリスト教徒の悩みの種だったんだよ。だけど、1950年ごろに『死海文書』っていう、紀元前200年ごろに書かれた本が見つかってさ、この本に書いてあった『旧約聖書』の文書の内容を調べてみたら、内容がだいたい同じだったんだ。聖書の文章は正しかったってことで、みんなホッとしたらしいぜ。

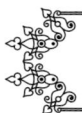

旧約聖書の重大事件

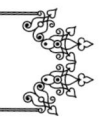

うむむ……聖書のお話はメシアちゃん様にはまだ難しいかもしれません。では、この3つのお話だけでも読んでくださいね、これを最初に知っておけば、天使についてのお話がずっとわかりやすくなりますから！

天地創造（『創世記』より）

『旧約聖書』の一番最初に描かれているもので、神が七日間かけてこの世界を作る物語です。

神は天地創造の一日目に光と闇、昼と夜を、二日目に空と海を、三日目に大地と植物を、四日目に太陽と月を、五日目に海の生物と空の生物を、六日目に地上の動物と人間を作り、最後の七日目はなにもせずに休んで神聖な休日としたといいます。

神様が天使を作ったのは、天地創造の初日に、光と闇を分けたときだっていう説と、人間を作った六日目に一緒に作ったっていう説があるみたいです〜。聖書には書いてないんですよね。

楽園追放（『創世記』より）

最初の人類「アダムとエヴァ」が、衣食住に不自由することのない「楽園」から追い出される物語です。

アダムとエヴァは、神から、楽園にある「知恵の樹の実」を食べることを禁止されていましたが、邪悪な蛇にすすめられてこの実を食べてしまいます。神は約束を破ったアダムとエヴァを叱り、有限の寿命と労働の義務を与えて、楽園から追い出しました。

アダムとエヴァに知恵の実を食べさせたのは、我らが悪魔の大首領、サタン様なんだぜ！神様が直接作ったアダムとエヴァに神様との約束を破らせるなんて、さすがはサタン様だぜ〜。

モーセの十戒（『出エジプト記』より）

エジプトで奴隷生活を送っていたユダヤ人が、預言者モーセに導かれて、エジプトを脱出する物語です。道中、シナイ山という場所で、モーセが神とユダヤ人の十項目の契約「十戒」を記した石版を授かったり、追っ手のエジプト軍から逃げるために海を割って道を作ったり、飢えに苦しむユダヤ人に神が食料を与えるなどの、印象的な場面が次々とあらわれます。

これ、えーがで見たのだ！モーセさんがおいのりしたら、海がぱかーってわれて、うみのそこにみちができたのだ！モーセさんってすっごいひとだったのだ〜！

旧約聖書ワールドマップ

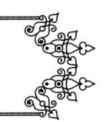

旧約聖書には、有名な地名がたくさんありますよ。「バベルの塔」とか「メギドの丘」とか、聖書そのものを知らない人でも、どこかで聞いたことのある言葉がいっぱいなのです！それぞれの地名とお話の内容を、ちょっとだけ紹介しますね。

ぶ〜。ほんとにちょっとだけなのだー。おはなしがすぐ終わっちゃってつまんないのだ！もっとたくさん、おはなしききたいのだ！

お、メシアちゃんが本の中身に興味を持つなんてめずらしいなー。ま、気になる話の内容は「旧約聖書」で読んでくれよな。どの本の何章に出てくるか書いておいたからさ。

サマリア
この地域にはユダヤ人と異民族の混血が多く住んだため、『旧約聖書』で裏切り者の住む地として糾弾されました。
『列王記下』17章6節など

メギド
『旧約聖書』で何度も戦争の舞台になった丘の名前。キリスト教の最終戦争「ハルマゲドン」の戦場もここだとされます。
『士師記』5章19節など

アララト山
ノアの方舟が山頂に引っかかったという「アララト山」は、このアルメニア高地のどこかにあると考えられています。
『創世記』8章4節など

バビロン
大帝国「バビロニア帝国」の首都で、戦争に敗れたユダヤ人が「バビロン捕囚」で強制連行された土地です。
『エレミヤ書』20章4節など

エルサレム
ユダヤ人の王国「エルサレム王国」の首都で、ユダヤ教の総本山「エルサレム神殿」が建てられた聖地です。
『ヨシュア記』10章10節など

シナイ山
モーセが神から十戒の石版を授かったというシナイ山は、シナイ半島の先端にある山だとされています。
『出エジプト記』19章11節など

ソドムとゴモラ
堕落のあまり神に滅ぼされた2つの都市。世界最大の塩湖「死海」の南部に沈んだとされています。
『創世記』18章20節など

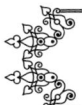

旧約聖書 人物紹介

> 旧約聖書に登場する人の数は、あまりに多すぎて紹介しきれないのですよ。だから聖書を理解するために特に重要な人を6人選んできたのです！ この人たちを知っておけば、『旧約聖書』の最初のほうの物語がよくわかります〜。

最初の人間 アダム

神の姿に似せて作られたという最初の人間です。楽園（エデン）を追放されたあと、妻エヴァとのあいだに数多くの子供をつくり、全人類の祖先となりました。930歳まで生きたといいます。

天使になった エノク

アダムの7世代あとの子孫。『創世記』によると、365歳のとき「神に取られたのでいなくなった」といいます。外典『エノク書』では、天使に変えられたと信じられています（→ p32）。

方舟の主 ノア

神が堕落した地上世界を洪水で押し流したとき、神の命令で方舟をつくり、妻や動物たちとともに生き延びた人物。ノアは洪水後の世界で土地をたがやし、世界で初めての農夫になりました。

2民族の祖 アブラハム

ユダヤ人とアラブ人の祖先となった部族の長。神が「アブラハムの子孫にカナン地方を与える」としたため、エルサレムを含むカナン地方は、ユダヤ人の土地となることが約束されました。

十戒の預言者 モーセ

エジプトで奴隷生活を送るユダヤ人を、約束の地カナンへ導いた預言者。神とユダヤ人の契約「十戒」を刻んだ石版を持ち帰ったり、海を割ってその底を渡ったという逸話で有名です。

魔術王 ソロモン

神から「あらゆる善悪を見きわめる知恵」を授かった、ユダヤ人の賢王。聖書には書かれていませんが、大天使ミカエルから授かった指輪を使って悪魔を使役したという伝説で有名です。

> このアダムってひと知ってるのだ！
> リンゴたべたのがばれて、神様に怒られちゃった人なのだー。
> つまみぐいはバレたらだめなのだー。

> ほかの人間たちも、旧約聖書の最初のほうで大活躍してる連中ばっかりだなー。
> これが全員アダムっていうひとりの人間の子孫だってんだから、スケールのでっかい話だよ、まったく。

> 『旧約聖書』の前半は、アダムさんの子孫がどんなことをして、そのまた子孫がこんなことをして〜って続くお話しなので、登場人物で家系図を作ることもできるのですよ。まとめてみたので、右のページを見てくださいなのです！

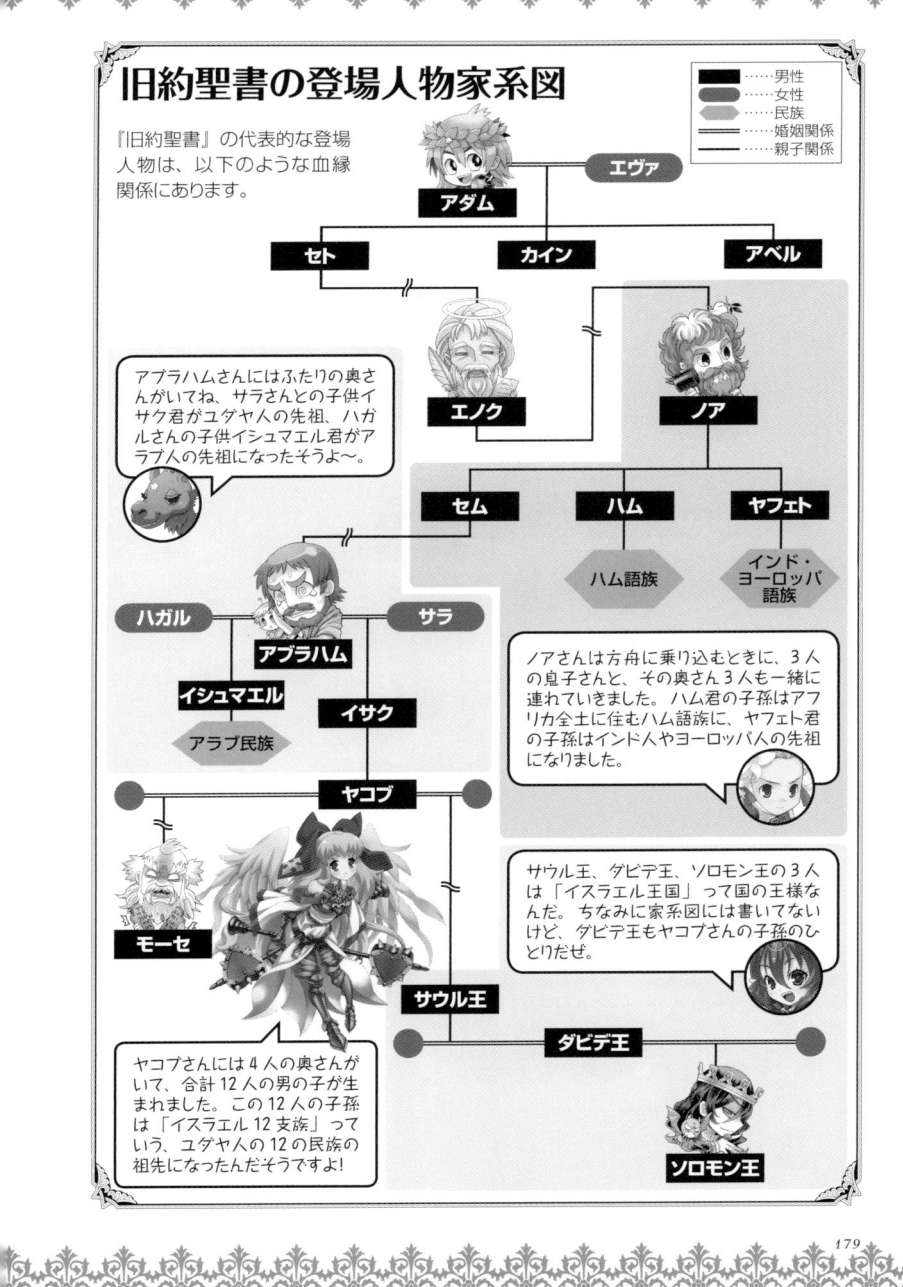

旧約聖書の登場人物家系図

『旧約聖書』の代表的な登場人物は、以下のような血縁関係にあります。

凡例	
■	男性
■	女性
■	民族
═	婚姻関係
─	親子関係

アダム ═ **エヴァ**
├ **セト**
├ **カイン**
└ **アベル**

エノク（セトの子孫）

ノア（カインの子孫）
├ **セム**
├ **ハム** — ハム語族
└ **ヤフェト** — インド・ヨーロッパ語族

ハガル ═ **アブラハム** ═ **サラ**
├ **イシュマエル** — アラブ民族
└ **イサク**

イサク → **ヤコブ**

モーセ

ヤコブ → **サウル王** → **ダビデ王** → **ソロモン王**

> アブラハムさんにはふたりの奥さんがいてね、サラさんとの子供イサク君がユダヤ人の先祖、ハガルさんの子供イシュマエル君がアラブ人の先祖になったそうよ〜。

> ノアさんは方舟に乗り込むときに、3人の息子さんと、その奥さん3人も一緒に連れていきました。ハム君の子孫はアフリカ全土に住むハム語族に、ヤフェト君の子孫はインド人やヨーロッパ人の先祖になりました。

> サウル王、ダビデ王、ソロモン王の3人は「イスラエル王国」って国の王様なんだ。ちなみに家系図には書いてないけど、ダビデ王もヤコブさんの子孫のひとりだぜ。

> ヤコブさんには4人の奥さんがいて、合計12人の男の子が生まれました。この12人の子孫は「イスラエル12支族」っていう、ユダヤ人の12の民族の祖先になったんだそうですよ！

179

新約聖書

> 次に紹介するのは、キリスト教徒による、キリスト教徒のための聖書！ 新約聖書です！ 旧約聖書とは内容や雰囲気がかなり違いますよ〜。 愛にあふれた新約聖書の世界へご案内なのです♪

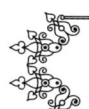

新約聖書を書いたのは誰か？

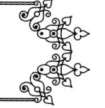

> 旧約聖書は、ユダヤ教を信じるユダヤ人が作った聖書でしたけれど、新約聖書は、救世主イエス様を信じるキリスト教徒のみなさんが書いたものです。つまり、新約聖書はキリスト教だけのオリジナルなんですね〜。

　キリスト教がユダヤ教から離れ、独自の宗教として活動をはじめるのは、西暦30年ごろにイエス・キリストが十字架刑で殺されたあとの時代です。それ以降、新約聖書の各文書はさまざまなキリスト教徒によって執筆され、西暦150年ごろまでにすべての文献が完成していたと考えられています。

　『新約聖書』に収録された文献は、キリストの直弟子である「使徒」による作品だという体裁をとっていますが、実際には一部を除いて、これらの文献の作者は使徒本人ではなく、それ以降の信者だと考えられています。

　『新約聖書』に含まれる文献は以下の27本です。このリストは西暦397年の宗教会議で正式に定められ、現在まで変わることなく、キリスト教の主要宗派で正式な『新約聖書』として扱われています。

新約聖書に含まれる文書

〜福音書〜
- マタイによる福音書
- マルコによる福音書
- ルカによる福音書
- ヨハネによる福音書

〜歴史書〜
- 使徒言行録

〜書簡〜
- ローマの信徒への手紙
- コリントの信徒への手紙一
- コリントの信徒への手紙二
- ガラテヤの信徒への手紙
- エフェソ信徒への手紙
- フィリピ信徒への手紙
- コロサイ信徒への手紙
- テサロニケ信徒への手紙一
- テモテへの手紙一
- テモテへの手紙二
- テトスへの手紙
- フィレモンへの手紙
- ヘブライ人への手紙
- ヤコブへの手紙
- ペトロの手紙一
- ペトロの手紙二
- ヨハネの手紙一
- ヨハネの手紙二
- ヨハネの手紙三
- ユダの手紙

〜黙示文学〜
- ヨハネの黙示録

新約聖書の文献の種類

> 旧約聖書は、何百年もかけてじっくり熟成されてきた聖書だけど、新約聖書はたった数十年っていう短い期間でまとめられたもんだから、入ってる文献の性質もずいぶん違うみたいだな。

『新約聖書』に含まれる27の文献は、そのうち25冊が「福音書」と「書簡」に分類されます。もっとも重要なのは4冊の「福音書」です。福音とはギリシャ語の「エウアンゲリオン（よい知らせ）」の日本語訳で、イエス・キリストの言葉のことを指します。

福音書

イエス・キリストの生涯、死と復活、イエスの言葉などをまとめたものです。『新約聖書』に収録された福音書は4種類あります。事実を別々の視点から解釈したため、内容には微妙なずれがあります。

・マタイによる福音書：旧約聖書からの引用が多く、ユダヤ教徒との宗教論争を踏まえた内容になっている。
・マルコによる福音書：イエスの誕生や幼年期に関する記述がなく、宗教者となったあとの活動から記述が始まる。
・ルカによる福音書：時間の流れに沿ってイエスの行動を記述。マタイとは逆に、ギリシャ語を話す人のために書かれた。
・ヨハネによる福音書：記述の内容が、ほかの3つの福音書と大きく違う。イエスの言葉の収録数が非常に多い。

歴史書

イエスの死後、その直弟子である十二使徒の布教活動の様子を記した『使徒言行録』のこと。本書の作者は『ルカによる福音書』の作者と同じであることがほぼ確実視されています。

書簡

イエスの弟子である使徒たちが信者に送った手紙。使徒パウロの手紙「パウロ書簡」14本と、使徒たちがもっと広い対象に読ませるために書いた「公同書簡」7本があります。

黙示文学

ユダヤ教やキリスト教で定められた世界の終わり「最後の審判」で起きるであろうことを幻に見たヨハネという筆者が、その幻影の内容を書き残したもの。過激で恐ろしい内容で知られています。

新約聖書はイエス中心

『旧約聖書』は、神様とユダヤ人みんなが主人公だったから、何百年もの歴史を話したりする、なっがーいお話になったわけ。でもキリスト教は、徹底的に「イエス・キリスト」様中心の宗教さから、聖書の内容もひたすらイエス様ひとりに注目してるせいで、物語の長さが手ごろになってるのがありがたいんだな〜。『新約聖書』を読むなら、まずはイエス様の行動が書かれてる「福音書」のどれかから始めるのがいいと思うぜ！

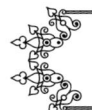

イエスの人生

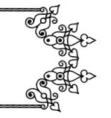

新約聖書のお話は、イエス・キリスト様の人生そのものといっても言い過ぎじゃないのですよ。ユダヤ人の長〜い歴史を語った『旧約聖書』とちがって、短い期間にお話がみっちりつまってますね!

1.イエスの誕生
イエス0〜30歳

イエスは、ユダヤ人の大工ヨセフの婚約者だった、マリアという処女から生まれました。処女が妊娠し出産するという奇跡は、あらかじめ天使ガブリエルによって告知されていたものでした。

神の子として生まれたイエスは、幼いころから『旧約聖書』についての深い知識を持っていました。彼は、生まれながらにして、ユダヤ人の王となることを運命づけられていたのです。

2.イエスの洗礼
イエス30歳

イエスが救世主としての自覚に目覚めたのは、およそ30歳になったころです。彼はヨハネという高潔なユダヤ教徒に、みずからの罪を告白する儀式「洗礼」を受けるのですが、このときイエスの前に天が開けて聖霊(→p186)があらわれ、イエスが神の子であることを告げました。この瞬間から、イエスは自分が『旧約聖書』で預言された救世主であることを自覚し、人々を救うための活動を始めるのです。

3.荒野での誘惑
イエス30歳

洗礼によって救世主の自覚に目覚めたイエスは、ただちに神の霊に導かれ、悪魔にまとわりつかれながら、飲まず食わずで荒野を40日間さまよいます。空腹になったイエスに対して悪魔は「神の子の力で、この石をパンに変えればいい」と誘惑します。その後も悪魔は、イエスにさまざまな甘言を弄して神の意志に反することをさせようとしますが、イエスはすべての誘惑をはねのけて悪魔を打ち払いました。

4.イエスの宣教
イエス30〜34歳

荒れ野での試練から帰ったイエスは、さっそく神の教えを広める活動を始めます。イエスは神の教えを説くだけでなく、その力で病気の人間を癒したり、悪魔を追い払ったり、盲目の人の目が見えるようにするなど、さまざまな奇跡を起こして名声を高めます。しかし、既存のユダヤ教勢力の権威を無視し、急速に信者を増やすイエス一派の存在は、守旧派のユダヤ教徒にとって非常に目障りなものになっていました。

イエス30歳からの足跡

イエス様が洗礼を受けて、神の子に目覚めてから、十字架で昇天するまでの4年の足跡を追ってみました！

① 故郷のガリラヤ地方を皮切りに、イスラエル各地で宣教活動を行い信者を増やす。

② イスラエル東部のヨルダン川で、洗礼者ヨハネから洗礼を受ける。

③ 荒野で断食修行を行い、悪魔の誘惑をはねのける。

④ その行動を危険視したユダヤ教守旧派と対立し、十字架で処刑される。

⑤ （十字架を背負うイエス）

5. イエスの死
イエス34歳

既得権益を守りたいユダヤ教の守旧派は、人類平等を説いて弱者を救済するイエスをおとしいれます。イエスは弟子たちと「最後の晩餐」をとった翌日に、13人目の弟子「ユダ」の告発によって逮捕され、ゴルゴタの丘で十字架にかかって殺されてしまったのです。このときイエスは、自分をおとしいれたユダヤ教徒を、恨むどころかあわれみ、人類すべてが持つ罪をその身に背負って昇天しました。

6. イエスの復活
イエスの死後

十字架での処刑から3日後、イエスは死から復活し、弟子たちの前にあらわれます。実はこの復活は、イエス自身によって事前に何度も予告されていたことです。
イエスは弟子たちの前で、自分が亡霊ではなく、肉体を持って復活したことを証明します。そして自分の復活が『旧約聖書』で預言されていたことをあらためて説明し、人々に神の祝福を授けて天界に帰っていったと伝えられています。

　イエスの死と復活は、キリスト教の教義のなかでもっとも重視される出来事です。イエスの復活は、きたるべき「最後の審判」において死者が復活することを保証し、信者たちが神を信仰する根拠のひとつになっているのです。

イエス様は、30歳で洗礼を受けてからたった4年間で、多くの人に神様の教えを広めました。さすがは神の子なのです！ このイエス様の教えを広めるために生まれたのが、キリスト教という宗教なのですよ。

聖書の"外典"と"偽典"

「がいてん」とか「ぎてん」ってなんなのだー？
さっき天使さん「せいしょがいてん」っていってたけど、がいてんって「せいしょ」なの？ちがうのー？

外典とか偽典ってのはな、すげー昔にユダヤ教やキリスト教のえらい人が書いたんだけど、いろんな理由で聖書に入らなかった文献のことだぜ。つまり聖書に似てるけど、聖書とは違う本だなー。

おー、つまり、せいしょのにせものなのだー!?

いえいえいえいえ、偽物なんかじゃないのですよ？
外典や偽典には、たしかに全部正しいって言うにはちょっと問題のある記述もありますけど、基本的にはとってもありがたい教えが書かれた貴重な文献なのですよ。

ま、うちら的には、外典や偽典には悪魔や天使をたくさん紹介してる本が多いのも見逃せないよなー。悪魔や天使に興味があるなら、外典と偽典は読まなきゃ損だぜ！

　外典や偽典とは、聖書に入れられなかった宗教文書です。外典は、一時期聖書に含まれていた、または聖書に加える運動があったものの、最終的に聖書から排除された文献。偽典は、紀元前2世紀〜紀元1世紀という比較的新しい時期に書かれたにもかかわらず、『旧約聖書』の時代に書かれたと偽装された文献です。
　外典や偽典とは逆に、正式な聖書に含まれた文献を「正典」と呼ぶことがあります。

あ、そうそう。どの文献を「正典」にして、どれを「外典」にするかは、宗派によっても違うのですよ。例えばキリスト教の一派「プロテスタント」では、「カトリック」の正典のうち7つの文献を、聖書の正典だと認めてないんです。

旧約偽典『エノク書』と天使たち

　『旧約聖書』の偽典である『エノク書』は、名前のある天使と悪魔が数多く登場することで知られる文献です。神から地上の人間たちの監視を命じられた「グリゴリ（見張る者）」の天使たちをはじめ、聖書の正典にはあらわれない天使が多数活躍しています。
　なお『エノク書』には、エチオピア語で書かれた『第一エノク書』、スラブ語で書かれた『第二エノク書』、ヘブライ語で書かれた『第三エノク書』の3種類があり、それぞれ登場する天使や物語の内容がかなり違うので注意が必要です。

アブラハムの宗教+1
Abrahamic religions +1

キリスト教……186
ユダヤ教……187
イスラム教……188
ゾロアスター教……189
くらべてわかる！ 天使と宗教……190

ここまでのページでは、天使とキリスト教に注目してきましたが、なにも天使はキリスト教だけに存在するものではありませんね？ それでは、教義のなかに天使を持つ、キリスト教、ユダヤ教、イスラム教の「アブラハムの宗教」と、その天使像の原型になった「ゾロアスター教」の教えを比較しながら、宗教と天使について学んでもらいましょう。

キリスト教

キリスト教、ユダヤ教、イスラム教は、旧約聖書の「アブラハム」さんの子孫がおこした宗教なので、「アブラハムの宗教」と総称されます。最初はそのひとつ、キリスト教をおさらいしましょう。

神とイエスと聖霊　三位一体の教え

ユダヤ教、イスラム教とキリスト教の最大の違いは、イエスを神に等しい存在だと考えることです。神が人間（イエス）としてあらわれるという概念は、ほかの2宗教にはないものです。

キリスト教では神、イエス・キリスト、そして「聖霊」が、すべて同じものだと解釈されます。この概念を「三位一体（トリニテ）」と呼びます。

聖霊とは、ひとことでは言い表せない複雑な概念です。誤解を恐れずに言うなら、神の意志を具現化した霊体やエネルギーに近いといえます。

父（神）、子（イエス）、聖霊の三位一体がキリスト教の基本教義。聖霊は白い鳩の姿で表現されます。

原罪と救済

キリスト教にはもうひとつ、原罪と救済という基本教義があります。これは、人類は生まれながらにして罪を背負っているため、天国に行くことができないが、キリストの教えを信じ、神を信仰することによって罪が清められ、天国に行くことができるという教えです。

人間が原罪を持つ理由は、旧約聖書『創世記』の、アダムの楽園追放のエピソード（→p176）にあります。この出来事で最初の人間アダムとエヴァは、神から食べることを禁じられていた知恵の木の実を食べてしまいました。神の命令にそむいたことで、アダムとその子孫、つまり全人類に消えない原罪が刻まれることになったのです。

楽園追放を描いた、18世紀フランスの画家シャルル・ジョゼフ・ナトワールの作品。メトロポリタン美術館蔵。

ゴルゴダの丘で十字架刑にされるイエス・キリスト。18世紀ドイツの画家、アントン・メラーの作品。

悪人を善人に育てるのは大変ですが、それが神様の望みですからやむを得ません。さあ悪い子のメシアちゃん、良い子のお勉強の時間です（にっこり）

ユダヤ教

>「聖書」のページでも説明したように、アブラハムの宗教は、ユダヤ人の宗教「ユダヤ教」から発展して生まれました。その原型となったユダヤ教とは、どんな宗教だったのでしょうか?

ユダヤ人のための宗教である

キリスト教、イスラム教、ゾロアスター教は、万人に開かれた宗教であり、神を信じる者であれば誰でも信者になることができます。しかしユダヤ教には、基本的に「ユダヤ人という民族のために作られた」、民族宗教だという特徴があります。

ユダヤ人以外がユダヤ教の信者になることもできますが、そのためにはユダヤ教の教義についての、非常に厳しい試験に合格しなければなりません。

ユダヤ教の教典

ユダヤ教は、ユダヤ人が神と交わした契約を守ることで、神の恩寵が与えられるという「契約宗教」です。そのためユダヤ教では、数ある教典のなかで、神との契約の内容が書かれた『トーラー』と『タルムード』をもっとも重視します。

トーラー(モーセ五書)

預言者モーセが書いたとされる、旧約聖書の最初の5書、『創世記』『出エジプト記』『レビ記』『民数記』『申命記』のことを、ユダヤ教では『トーラー(律法)』と呼びます。『出エジプト記』に登場する、神との10項目の契約を記した石版「十戒の石版」を代表格として、『トーラー』には数百項目におよぶ神との契約が書かれています。そのため『トーラー』は、ユダヤ教徒として契約を守るために必要不可欠な教典なのです。

タルムード

『トーラー』で神と結んだ契約を、実際の生活でどのように実行していけばいいのかをまとめた書物で、現代の言葉に直すなら、法律の解説書や裁判の判例集のような内容です。紀元前2世紀ごろに原型が作られた『タルムード』は、「ラビ」という法律学者たちに新しい解釈を付け足され、1~2世紀ごろに現在の形にまとまりました。
『タルムード』の情報量は膨大で、専門の学者以外が全貌を把握することは困難です。

> あ、ユダヤ教の特徴っていえば、「メシア論」っていうのがあるわね!
> メシアっていうのは「救世主」のことね。ユダヤ人は、いつの日かユダヤ人のなかからメシアがあらわれて、平和と正義の王国を作り、ユダヤ人はそのなかで、神と契約した民として中心的な役割を果たすと信じてたの。ちなみにイエス・キリストは、自分こそがこの「メシア」だと主張していたのよ。

イスラム教

> イスラム教は「アブラハムの宗教」のなかで最後に生まれた宗教ですよ。ユダヤ教やキリスト教と同じ神を信仰しつつも、彼らの教えに「間違いがある」と主張し、独自の教えを説く宗教です。

アッラーとムハンマド

イスラム教は、唯一神アッラーを崇拝する宗教です。アッラーとは『旧約聖書』に登場する神ヤハウェのアラビア語読みで、すなわちユダヤ教、キリスト教、イスラム教は同じ神を崇拝しています。

イスラム教の開祖は、7世紀にアラビア半島で活動したムハンマドという預言者です。彼は天使ガブリエルから啓示を受け、ガブリエルのいう「正しい教え」を広めたのです。

大天使ガブリエルから啓示を受けるムハンマド。14世紀初頭の作品。

聖典クルアーン

イスラム教の聖典は、ガブリエルがムハンマドに与えた神の言葉『クルアーン』です。日本ではコーランという表記で知られます。クルアーンは104の章で構成されていて、世界の創造と発展、ムハンマドにはじまるイスラム教の歴史、信者が守るべき戒律などが断片的な形で収録されています。そのなかには『旧約聖書』と重複する内容もあります。

> イスラム教の戒律は「六信五行」って呼ばれます。アッラーの存在など6つのことを信じて、礼拝や断食など5つのことを実行する、という意味なのですよ〜。

聖職者のいない宗教

普通の宗教って、神様との交流を担当する、司祭とか神官みたいな聖職者がいるわよね。でもイスラム教では、「信者はみんな聖職者」だって考えるから、専門の聖職者がいないのよ。だからイスラム教では、「ウラマー」っていう学者さんたちが、実質的な宗教指導者になるのよぉ。

ゾロアスター教

天使という概念は、ユダヤ教がほかの宗教の影響を受けて作り出したということを覚えていますか？ ユダヤ教の天使の原型になった有力な候補のひとつが、この「ゾロアスター教」なのです

「善悪二元論」をかかげる古代宗教

ゾロアスター教は、ユダヤ教が生まれたイスラエルより1000km近く東にある、中東の国イランの宗教です。

ゾロアスター教の特徴は「善悪二元論」という思想です。これは、この宇宙に存在するすべてのものには、善と悪どちらかの性質があり、それぞれの要素が一対で対応し、敵対しあっているのです。

もちろん天使と悪魔も、対立しあう善悪の要素として重要な位置を占めています。

対立する善と悪

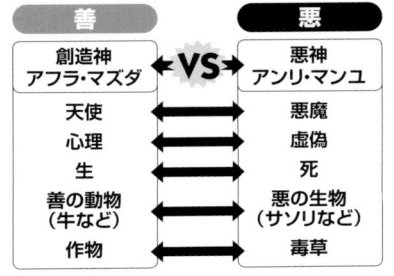

善		悪
創造神アフラ・マズダ	VS	悪神アンリ・マンユ
天使	⇔	悪魔
心理	⇔	虚偽
生	⇔	死
善の動物（牛など）	⇔	悪の生物（サソリなど）
作物	⇔	毒草

ゾロアスター教の天使観

ゾロアスター教は、創造神アフラ・マズダを最高神としていただく宗教です。アフラ・マズダに従う天使は、7名の上位天使アムシャ・スプンタを筆頭に、中位天使ヤザタ、下位天使フラワシという3層の階級に分かれています。

下位の天使フラワシは、キリスト教の天使9階級の第9位「天使」に近く、固有の名前を持たない存在です。中位天使のヤザタは、ペルシアの土着神を天使として取り込んだもので、固有の名前と高い人気を持ちます。アムシャ・スプンタは、ゾロアスター教の理念を表現するために作られた抽象的な天使です。

創造神アフラ・マズダ

アムシャ・スプンタ
名前は「聖なる不死者」という意味。最高位の天使として7体の高位悪魔と戦う。

ヤザタ
中級の天使。すべて固有の名前を持ち、複数のフラワシを部下として従える。

フラワシ
鳥の翼を持つ人間の姿で描かれる下位天使。人間を守護するほか、世界を維持する作業員でもある。

くらべてわかる！天使と宗教
こんなに違う「神」の性格

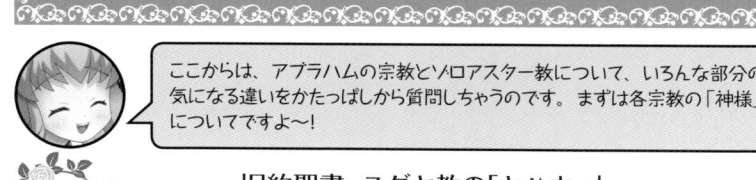

ここからは、アブラハムの宗教とゾロアスター教について、いろんな部分の気になる違いをかたっぱしから質問しちゃうのです。まずは各宗教の「神様」についてですよ〜！

旧約聖書、ユダヤ教の「ヤハウェ」

ユダヤ教、キリスト教、イスラム教で信仰されている唯一神は、すべて『旧約聖書』に登場する神と同一の神格です。しかしユダヤ教における神の性格と、キリスト教やイスラム教で信仰される神の性格は、かなり大きく異なっています。
『旧約聖書』でユダヤ教の神として描かれたヤハウェは、厳格で、攻撃的な性格の持ち主です。神との契約を守るユダヤ人を深く愛する一方、契約を守らなかったユダヤ人、ユダヤ人と敵対する異教徒には苛烈な攻撃を加え、まったく容赦をしません。

キリスト教の「ヤハウェ」とイスラム教の「アッラー」

ユダヤ教の神と、キリスト教およびイスラム教の神の最大の違いは、キリスト教とイスラム教の神は、自分を信じる者なら、民族にとらわれることなく加護を授けることです。神の教えに背いた者への過酷な罰は変わりませんが、ユダヤ人以外を憎んでいるかのような神の行動は、『新約聖書』や『クルアーン』には見られません。

また、神に対する理解にも違いがあります。ユダヤ教では、ヤハウェはユダヤ人にとって唯一の神ですが、異民族が信仰する別の神がいることを明言しています。しかしキリスト教やイスラム教では、旧約聖書に登場するこれらの「異教の神」の正体は悪魔だと解釈しています。この世に存在する神は、ヤハウェ（アッラー）のみなのです。

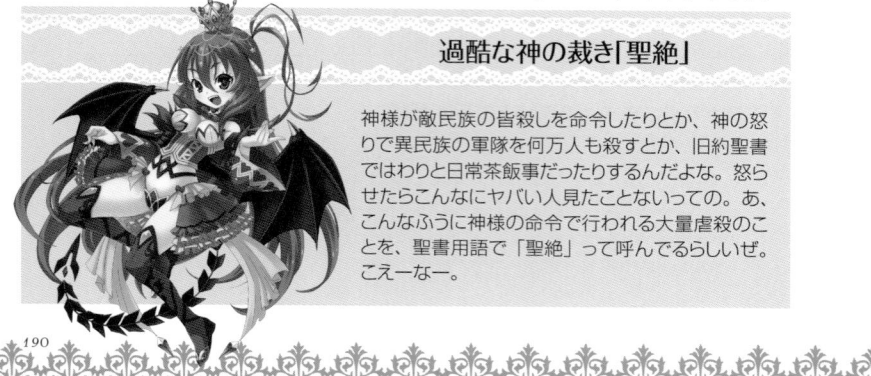

過酷な神の裁き「聖絶」

神様が敵民族の皆殺しを命令したりとか、神の怒りで異民族の軍隊を何万人も殺すとか、旧約聖書ではわりと日常茶飯事だったりするんだよな。怒らせたらこんなにヤバい人見たことないっての。あ、こんなふうに神様の命令で行われる大量虐殺のことを、聖書用語で「聖絶」って呼んでるらしいぜ。こえーなー。

くらべてわかる！天使と宗教
死後の世界

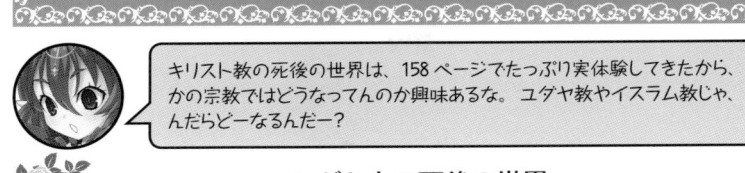

> キリスト教の死後の世界は、158ページでたっぷり実体験してきたから、ほかの宗教ではどうなってるのか興味あるな。ユダヤ教やイスラム教じゃ、死んだらどーなるんだー？

ユダヤ人の死後の世界

ユダヤ人が死後に向かう世界は、時代を問わず「シェオル」と呼ばれます。ユダヤ教が生まれるより前のユダヤ人は、シェオルには自分たちの先祖が待っていて、一族で幸福に暮らせると考えていました。その後ユダヤ教が誕生すると、先祖との幸せな暮らしという設定は消えてしまい、無味乾燥な死後の世界に変化します。その後のシェオルの変化ぶりは、159ページで紹介したとおりです。

キリスト教には、世界の終わりの日に死者が復活して裁判を受ける「審判の日」の思想がありますが、この思想はユダヤ教にも見られます。

イスラム教の死後の世界

キリスト教と同じく、イスラム教にも死者は死後の世界に行き、審判の日に復活して、過去の行いに応じて天国と地獄に送られるという思想があります。イスラム教とキリスト教の違いは、キリスト教の死者は死後すぐに天国や地獄に送られるのに対し、イスラム教の死者は、審判の日が来るまで天国にも地獄にも行かないことです。

イスラム教の死者の魂は、バルザフという地下世界でムンカルとナキルという天使に信仰を確かめられます。この時点で死者が終末後に向かう先は決まり、死者はバルザフの中で、終末後に自分が向かう場所についての幻覚を見せられ続けます。

イスラム教の死者の旅

❶霊魂の離脱
埋葬された遺体から霊魂が抜け出す

❷バルザフでの休息
地下世界バルザフで審判の日を待つ

審判（肉体の復活）

善人は……　→　**天国**
悪人は……　→　**地獄**

> バルザフの中では、審判後に行く世界の映像が上映されるんだってさ。延々と地獄を見せられるのはつらいぜー？

> くらべてわかる！ 天使と宗教

天使のちがい

> 天使さんって、きりすときょーだけじゃなくって、ほかのとこにもいるってきーたのだ。ほかの天使さんってどんなのなのだ？ おんなじなのだー？ ちがうのだー？

姿が見えないユダヤの天使

　ユダヤ教の天使は、ヘブライ語で「マラク」と呼ばれます。キリスト教と比較すると、とてつもなく巨大な天使、無数の眼を持つ天使など、一般的な人間型の天使とはかけはなれた姿の天使が多くいるのがユダヤ教の天使の特徴です。

　ただしユダヤ教では、天使が絵画などに描かれることはほとんどありません。なぜならユダヤ教には「偶像崇拝の禁止」という戒律があり、信仰の対象を、絵に描いたり彫像にすることが、キリスト教とは比較にならないほど厳格に禁じられているからです。

> ユダヤ教には「天使サタンと部下の天使が、天国を追放された」っていう神話がないので、「堕天使」って概念がないのです。人間を殺したりするこわーい天使も、堕天使じゃなくて、あくまで神様の命令で怖いことをしてるのですよ。

イスラム天使はアジア風

　イスラム教の天使は「マラーイカ」というアラビア語で呼ばれます。その特徴はユダヤ教の天使と同じように、偉大な天使ほど外見が人間離れしている傾向があります。千の舌を持つ天使イスラフィール（→p96）、髪の毛の先端に天文学的な数の顔や目があるミーカール（→p17）などがその代表格と言えます。

　ただしこのような異形的な外見は文献上にかぎられ、絵画などに描かれるときは、これらの異形の天使も、たいてい2枚の翼を持つ美しい人間の姿で描かれます。また、服装もキリスト教の天使のようなギリシャ風の服装ではなく、アラビア半島などのイスラム文化に即した服装が選ばれます。

大天使イスラフィールを描いた13世紀の挿絵。ターバンを巻いた典型的なアラブ男性の服装で描かれている。

> イスラム教の天使の絵画に、顔を白い布で隠した男性が描かれていたら、それはイスラム教の開祖である預言者ムハンマドさんですよ。イスラム教では、神様やムハンマドさんの外見を描くことを基本的に禁止しているので、こんな描き方になるのです。

> くらべてわかる！ 天使と宗教

天使の翼と光の輪

> 天使さんの羽とか光るわっかとか、すっごいきれーなのだ。
> なんで天使さんには、羽とかわっかとかついてるのだー？

翼と光輪はどこから来たか？

キリスト教の天使が、現在のように翼と光の輪を持つ姿になったのは、キリスト教誕生から約200年ほど後の4世紀ごろです。それではこの「翼」と「光の輪」は、なぜ描かれるようになったのでしょうか？

翼と光輪のもとになったもの

ゾロアスター教の「ファルナ」

天使の輪は、神聖な存在の頭部に描かれる光の円盤「光輪」が変質したものです。光輪は、中東の宗教で広く使われていたもので、その原型は、ゾロアスター教の最高神アフラ・マズダの背後に描かれるファルナという図像（下画像）までさかのぼります。

光の輪から翼が生えたこの図形は、アフラ・マズダの神聖性を表現している。

ローマの女神ウィクトーリア

キリスト教の天使の多くが翼を持つのは、人間の前にあらわれて勝利を予言するローマ神話の女神ウィクトーリアの外見などを、4世紀ごろの宗教画家が真似したのが始まりです。

紀元前1～2世紀に作られた女神ニケ（ウィクトーリアの原型）の石膏像。

ユダヤ天使の翼の由来は？

ユダヤ教の天使が翼を持つ理由は、キリスト教の天使とは違います。古代中東の宗教では、しばしば神やその使い「神使」に翼をつけて描きます。ユダヤ教の天使が無数の翼を持つのは、これらの神使の翼に影響を受けたからだという説があります。

紀元前8世紀、アッシリアのサルゴン王の宮殿に飾られていた「祝福の守り神」。手にトウモロコシを持ち、背中に翼が生えているのが確認できる。

> くらべてわかる！ 天使と宗教

守護天使ってなに?

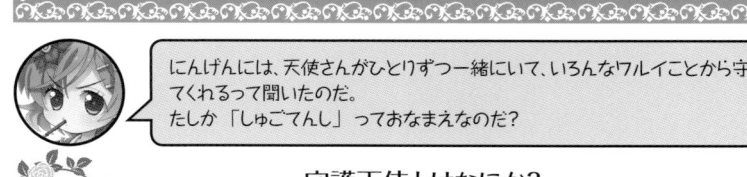

> にんげんには、天使さんがひとりずつ一緒にいて、いろんなワルイことから守ってくれるって聞いたのだ。
> たしか「しゅごてんし」っておなまえなのだ?

守護天使とはなにか?

　守護天使とは、誕生から死の瞬間までひとりの人間に付き従う天使で、おもに天使9階級の最下位「天使」（→p157）がこの任務をつとめます。人間ひとりにつく守護天使は1体ですが、ふたりの守護天使がその人の左右に分かれて、右の守護天使はその人を善に導き、左の守護天使は悪をそそのかすという伝承もあります。

　守護天使の概念はキリスト教初期からありましたが、それを確固たる理論にしたのは、12世紀の神学者トマス・アクィナスです。トマスの理論によれば、守護天使はその人が善行を行うようにうながしますが、悪魔の誘惑を直接妨げることは少なく、善行を強制することはありません。守護天使の導きを活かせるかどうかは人間次第なのです。

ユダヤ、イスラム教の守護天使

　守護天使の概念はユダヤ教やイスラム教にもあります。ユダヤ教の教典『タルムード』によれば、ユダヤ人は生涯を通じて合計11,000名の守護天使に見守られるといいます。イスラム教の守護天使は2種類おり、「ハファザ」（→p104）という守護天使は2人1組でひとりの人間を担当し、人間の行動を記録するとともに悪の誘惑から守ります。「ムハッキバート」という守護天使も似たような役割ですが、天使たちの活動時間が、昼担当と夜担当の2名によるローテーション制だという違いがあります。

発祥はゾロアスター教?

人間ひとりひとりに天使がついてるって考え方は、どうもゾロアスター教の下級天使「フラワシ」を参考にして作られたものみたいね。フラワシについては189ページで説明したとおりよー。
それにしても、ここでもゾロアスター教がユダヤ教の天使に影響を与えているのね。あなどれないわー。

くらべてわかる！天使と宗教
四大天使と七大天使

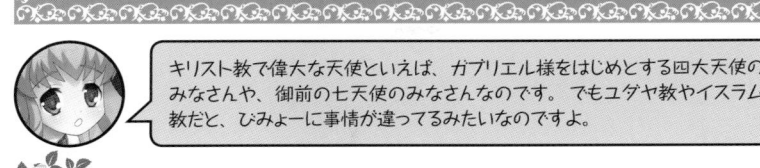

> キリスト教で偉大な天使といえば、ガブリエル様をはじめとする四大天使のみなさんや、御前の七天使のみなさんなのです。でもユダヤ教やイスラム教だと、びみょーに事情が違ってるみたいなのですよ。

四大天使とは

　四大天使とは、おもにキリスト教徒のあいだで語られる、4名の偉大な大天使のことです。同様の伝統はイスラム教にもあり、ジブリール、ミーカール、イズラーイール、イスラーフィールの4名が四大天使と呼ばれています。

　なお、四大天使という概念は、キリスト教の正式な教義でないばかりか、正式な聖書とみなされていない「儀典、外典」の文書群でもほとんど語られません。四大天使は、あくまでキリスト教の信者たちが自然発生的に生み出したものにすぎないのです。そのためユダヤ教では、四大天使という概念が語られることはほぼありません。

七大天使とは

　ユダヤ教やキリスト教では、すべての天使のなかでもっとも偉大な天使のことを「七大天使」と呼んでいます。彼らは神と直接対面する資格を持っているため、「御前の七大天使」と呼ばれることもあります。七大天使の内訳は文献によってまったく違いますが、いわゆるキリスト教の四大天使は、ほぼ全員がメンバーに含まれていて、それ以外の3つの枠を別の天使たちが争っていることが多いようです。

　ただしイスラム教では「七大天使」という概念が語られることはまれです。

なぜ「7」なのか？

　ユダヤ教やキリスト教において"七大天使"が盛んに語られる理由のひとつが、旧約聖書『創世記』にあります。この本の冒頭で、神は7日間かけて世界を創ったため、キリスト教やユダヤ教では、7という数字には特別な意味があると考えました。そして天国の層の数、人間を罪に導く悪徳の数、偉大な天使の数など、さまざまなものを7という数に定めたのです。

　イスラム教に七大天使の伝統がないのも、これがひとつの原因と考えられます。イスラム教の聖典『クルアーン』には、神が7日間かけて世界を作ったという記述がないので、ユダヤ教やキリスト教より"7"という数字へのこだわりが薄いのです。

> くらべてわかる! 天使と宗教

安息日が違うってホント?

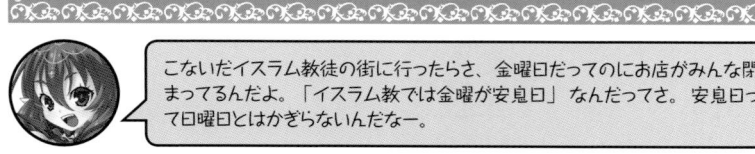

- こないだイスラム教徒の街に行ったらさ、金曜日だってのにお店がみんな閉まってるんだよ。「イスラム教では金曜が安息日」なんだってさ。安息日って日曜日とはかぎらないんだなー。

- ……この件については、どうにも勘違いが多いようですね。安息日とは、旧約聖書の『創世記』で、神様が世界を作った7日目に何もせず休んだことからできた戒律ですが、実は『旧約聖書』で定められた正式な安息日は**土曜日**なのです。

- ええっ! どよーびぃ!?
  え、じゃあなんでみんな日曜日に休んでんの? おかしくないか?

- 実際に『旧約聖書』の戒律を厳守するユダヤ教徒のみなさんは、土曜日を安息日と定めて、神様への祈り以外になにもしない日にしていますよ。キリスト教とイスラム教の休日が土曜日でないのは、それぞれ理由があるのです。

ユダヤ教は土曜日

ユダヤ教では、天地創造において神が休んだ日を安息日と定めています。ユダヤ教では一週間のはじまりは日曜日と考えるため、『創世記』の7日目は土曜日となります。

キリスト教は日曜休日

正式な安息日は土曜日ですが、イエス・キリストが復活したのが日曜日とされているので、カトリック教会では、日曜日を「主日」と呼んで、礼拝などを行う休日としています。

イスラム教は金曜日

イスラム教の創世神話には、アッラーが7日目に休んだという記述、すなわち安息日の根拠がありません。金曜日は、ムハンマドが聖地メッカを脱出した記念日なのです。

ユダヤ教徒が安息日を必要としたわけ

むかしユダヤ人が「バビロン捕囚」で集団誘拐されてたのは知ってるわよね。ユダヤ人は、信仰のよりどころの神殿から引き離されて毎日奴隷労働をさせられたから、そのままだとユダヤ教の教えを忘れそうだったの。だから7日に1日は労働しない日を作って、神様の教えを皆に思い出させる必要があったのよ。切実よね〜。

「アブラハムの宗教+1」の宗教史

キリスト教、ユダヤ教、イスラム教の「アブラハムの宗教」と、それに大きな影響を与えた「ゾロアスター教」の、特徴や違いはわかりましたか？ 最後に、この4つの宗教がいつごろ生まれ、どのように変化したのかを年表でおさらいしましょう。

時代	ゾロアスター教	ユダヤ教	イスラム教	キリスト教	
前10世紀		古代ヤハウェ信仰		ユダヤ人がバビロニア帝国の首都バビロンに強制移住させられたとき、彼らはバビロンに広まっていたゾロアスター教の宗教観を参考にして、古代ヤハウェ信仰を発展させ、天使という存在を発明しました。	
	天使の伝播	バビロン捕囚			
前1世紀		『旧約聖書』完成			
1世紀				イエス登場	
				キリスト教	
				『新約聖書』完成	
4世紀				ローマ帝国の分裂	
5世紀			イスラム教		東方諸教会
			スンニ派		
9世紀			シーア派		
10世紀				教会の東西分裂	
				ローマ・カトリック教会	東方正教会
14世紀					
15世紀				宗教改革	
				英国国教会	
				ルーテル教会	
19世紀					改革派長老教会
20世紀		イスラエル建国			

イラストレーター紹介

この「萌える!天使事典」では、49人ものイラストレーターのみなさんに、素敵なイラストをたくさん描いていただきました! ありがとうございます、皆さんに神様のご加護があらんことを、ですよ!

中乃空
●ガブリエル (p21)

前回の悪魔辞典に続きましてまたまた描かせていただきました。中乃空です。
公式?設定で優しい女性と言われているガブリエルは優しい女の子大好きな自分的にストライクな天使だったのでテンションMAXで描かせて頂きました。
金髪!お花!おっぱい!履いてない!いやっほーい。

In The Sky
http://altena.sakura.ne.jp/

spiral
●サンダルフォン (p37)

サンダルフォンというとマグマダイバーのちょっとメカニックだったり、三角形で電気を帯びていそうな機械天使のイメージで、とにかく馬鹿デカイ!陰のある天使ということで今回は黒光りしたコスチュームにしてみました。

笺螺画廊
http://senragaro.com/

朧月カケル
●レミエル (p41)

お初にお目にかかります、朧月カケルです。レミエル描かせていただきました。レミエルってあれです、青くて正八面体でビーム撃ってくるあれです。
いいですよねビーム、ロマンですねぇ。ロマン過ぎてこんなときどんな顔をしていいかわかりません。

PIXIV
http://www.pixiv.net/member.php?id=47896

しのはらしのめ
●ラグエル (p43)

はじめまして、しのはらしのめと申します。ラグエルさん色々調べていくと割と報われない系薄幸天使さんだったようでこのあとの展開を考えるとどきどきが止まらない!?ックスハート!とかそんな事考えながら描いていたら少しもやもやしました…もや…

しのしの
http://sinosino.cocotte.jp/

李玖
●にがよもぎ (p55)

初めましてこんにちは、李玖と申します。今回、天使の中でも堕天使寄りと言われているにがよもぎを担当させて頂きましたがちょっと裏のある女の子って描いてて楽しいのでテンション高めでした。読んでくださった皆様も設定込めて楽しんで頂ければ幸いです。

罠 -WANA-
http://wana.blog.shinobi.jp/

Syroh
●アダメル&ヘルメシエル (p63)

「初めまして!この度、アダメル&ヘルメシエルを描かせて頂きました、Syrohと申します。少しでも皆様に楽しんで頂けたら幸いです。」という真面目なコメントか「ヒャッホゥ(*゜∀゜*)布一枚ハァハァ」とかいつも通りにしようかと悩みましたが、今回は前者の真面目コメントで通そうと思います。有難う御座いました。

ちゅりめのネコ
http://churimenoneko.blog29.fc2.com/

皐月メイ
● ラドゥエリエル (p73)

はじめまして皐月メイと申します。今回はラドゥエリエルを担当させていただきました。天使を生み出すことができるラドゥエリエルだけでなく生み出されたちいさな天使ちも描くことができて、とてもにぎやかな1枚になったかなと思います。
ああ…ラドゥエリエルさん私のために天使を1人生み出してください。

PIXIV
http://www.pixiv.net/member.php?id=381843

だんごむし
● ドゥビエル (p75)

お誘いいただきありがとうございましたっ！割りとマニアック？な天使ということもあり、自由に描かせていただきました(*´ω`*)

おちばはうす
http://d.hatena.ne.jp/DANGOMUSHI/

しろきつね
● サマエル (p87)

しろきつねです。本書では「大天使サマエル」を担当しました。死を司り、最古の芸術批評家で、誠に聡明で人には知識を与え、魔王たるほどの力を持ち、創造主たる神に反逆しetc…と、なかなかに厨…格好良さ盛り盛りの大天使様。「傲慢」でもありますが、ここまで格好良いとある種の憧れも。
広告、普段は和風な獣耳っ娘中心に描いておりますので是非非遊びに以下略！

白い狐の住む社
http://shiroikitsunenosumuyashiro.net/

赤目
● メルキゼデク (p89)

皆さん初めまして、赤目と申します。普段は児童書から一般文芸の挿絵まで幅広く描かせて頂いています。
可愛い少年少女はもちろん歴史(特に北アジア史)や神話、民俗学が好きなので「天使事典」の刊行をとても楽しみにしています。
最後に、TEAS事務所さん、次は「萌える！騎馬民族事典」をぜひ！

現実逃避倶楽部
http://akame.nazo.cc/

久彦
● イズラーイール (p94)

はじめまして、久彦と申します。今回は企画に参加させて頂きありがとうございました。
羽根とつ目とおっぱいを描くのが大好きなのでとても楽しかったです。この楽しさが、皆様に少しでも伝わっていれば幸いです！

ヴァルシオーネα
http://www5c.biglobe.ne.jp/valalpa/

美弥月いつか
● マーリク (p101)

はじめまして、美弥月いつかです。今回のイラストは地獄の官吏ということで、ストレートに表現してみました。
歴史から消えた天使ということで、この天使の経歴から異色な感じにしようと思ったんですが、基本的には一般的な天使像と代わらないとのことでしたので、迷わず描けて楽しかったです。

COLORFUL BLOG
http://miyatuki.sakura.ne.jp/blog/

蒼月しのぶ
● ムンカル&ナキール (p103)

『ムンカル&ナキール』を描かせて頂きました南極ペンギンの蒼月しのぶです。
どんなに深い位置に埋められていても、ナキールさんのディバインツルハシで掘り起こされてしまう！そして生前イスラム教の教えに従ってなかった者にはムンカルさんの引っ叩き棒でペシペシ叩かれる羨ましい責め苦が待っているのだっ！

COLORLESS
http://www.geocities.jp/maysh_sf3/

しおこんぶ
● スプンタ・マンユ (p107)

今回、ゾロアスター教の大天使、スプンタ・マンユを描かせて頂きました、しおこんぶと申します。
この天使の経歴から異色な感じにしようと思ったんですが、基本的には一般的な天使像と代わらないとのことでしたので、迷わず描けて楽しかったです。

こんぶの観察日記
http://siokonbu.com/

大山樹奈
● アナーヒター&アシ (p111)

アナーヒター&アシを担当させていただきました大山樹奈です。はじめまして。
幸福の天使ということで、描いてる僕も幸せな気分で楽しく絵を描く事ができました。
この本を手に取ってくれたみなさまにも2人のご加護が届きますように!

KINAKO-WEB
http://kinakoweb.ojaru.jp/

bomi
● ミスラ (p114)

イラストレーター、原画家、漫画家。フリーランスで幅広く活動中。千葉県出身、現在は東京都在住。
代表作: 漫画「ゆーゆる執事部」ゲーム「ゾンビ イン ワンダーランド」他
此度のイラストではセクシーさ、神々(天使だけど)しさに気を付けてみました。久しぶりのイラスト書籍のお仕事楽しかったです★

bo226
http://www012.upp.so-net.ne.jp/bom/

内有一馬
● モンスの天使 (p125)

第一次世界大戦中に現れた比較的新しい天使ですが機関砲や戦車相手に中世の甲冑と弓では…とちょっと心配な天使であります。
絵の方は高速でビキニアーマーに脳内変換され、線画完了まで速かったですね。
表情も凄惨な戦いを愁いて、決して明るく無いだろうと厳しめです。

FlowerCrown
http://flowercrown.org/

鞠乃
● モロナイ (p133)

フィギュアの原型作りが本業ですが、絵を描くのが楽しくてヤバイです(笑) わしは…もっと絵を描きたいんじゃー…!

まりもハウス
http://alinnaei.pupu.jp/

宮瀬まひろ
● ベアトリーチェ (p135)

この度「ベアトリーチェ」のイラストを描かせて頂きました、宮瀬まひろです。
携帯アプリや、カードゲーム等のイラストもお仕事で描かせて頂いております。
個人同人活動もやっておりますので、興味もって頂けた方、ぜひぜひサイトも覗いてみてくださいね!

NANAIRO
http://www.77iro.net/

フルーツパンチ
● じゅすへる (p139)

愛鳥のマンゴちゃんをこよなく愛してます。愛し過ぎでマンゴちゃんから嫌われてます。でも愛しつづけます。暇さえあれば絵を描いてます暇がなくても絵を描いてます

萌える! 天使事典　STAFF

著者	TEAS事務所
監修	寺田とものり
テキスト	岩田和義(TEAS事務所)
	林マッカーサーズ(TEAS事務所)
	村岡修子
協力	こばやしぶんた
	榎本海月
本文デザイン	神田美智子
カバーデザイン	筑城理江子

これ、この本をつくった人たちのお名前らしーのだ。おつかれさまなのだー。

美和美和
●表紙

LOVEWN Outpost
http://lovewn.blog101.fc2.com/

C-SHOW
●案内キャラクター
●巻頭、巻末コミック
●カットイラスト
●ハニエル(p49)

おたべや
http://www.otabeya.com/

黒谷忍
●ヤハウェ(p13)

Puffsleeve
http://puffsleeve.cc/

きつね長官
●扉ページイラスト

きつねうどん
http://denari.blog86.fc2.com/

ぱるたる
●ミカエル(p18)
●エイワス(p141)

R-pll
http://rpll.ninja-web.net/

了藤誠二
●ラファエル(p25)

mstl-60997
http://masapokotarou.blog.fc2.com/

しばの番茶
●ウリエル(p29)

Simplesky
http://sssn.sakura.ne.jp/

深崎暮人
●メタトロン(p34)

Cradle
http://cradle.cc/

ふみひろ
●サリエル(p45)
●ウォフ・マナフ(p109)

夜の勉強会
http://www5b.biglobe.ne.jp/~yoru/

さとーさとる
●ザドキエル(p47)

16軒目
http://www.16kenme.com/

けいじえい
- ●ラジエル (p53)
- ●イスラーフィール (p97)

9時
- ●ケルビエル (p57)

9o'clock
http://9c25s.blog120.fc2.com/

curuccu
- ●ケムエル (p59)
- ●スリア (p71)

nio
- ●ライラ (p61)

einhorn
http://einhorn.sakura.ne.jp/einhorn/

WZK
- ●ヴィクター (p65)

々全
- ●クシエル&アナフィエル (p67)
- ●アサリア (p131)

々の間
http://nomahee.blog.fc2.com/

河内やまと
- ●ハドラニエル&ナサルギエル&ザグザゲル (p69)

河内大和
http://www12.plala.or.jp/yamato/

3
- ●ベツレヘムの星 (p77)

掃き溜め
http://www5a.biglobe.ne.jp/~belial/

ななてる
- ●4コママンガ (p81)
- ●モノクロコママンガ

蓮根庵
http://renkonan.sakura.ne.jp/

あみみ
- ●ソフィア&デミウルゴス (p83)
- ●イーサー (p99)

えむでん
http://mden.sakura.ne.jp/mden/

リリスラウダ
●ハオマ (p117)

リリスラウダ研究所
http://llauda.sakura.ne.jp/

望月朔
●ティシュトリヤ (p119)

ATELIER・LUNA
http://saku-m.cocolog-nifty.com/

てるみぃ
●スラオシャ (p121)

生きてるだけ症候群
http://homepage2.nifty.com/kabotya-no-tane/

穂里みきね
●アブディエル (p129)

C-EW/HM
http://etherweiss.client.jp/

ga015
●ハラリエル (p137)

黒葉.K
●カンヘル (p143)

Clovers
http://clovers.noor.jp/

蟹江貴幸
●カットイラスト

しかげなぎ
●カットイラスト

SUGAR CUBE DOLL
http://www2u.biglobe.ne.jp/~nagi-s/

湖湘七巳
●カットイラスト

極楽浄土彼岸へ選こそ
http://homepage3.nifty.com/shichimi/

この本を書いたTEAS事務所ってのは、書籍の編集とか執筆をしてる連中らしいんだ。ここにホームページとかツイッターとかあるみたいだから、遊びに行ってみようぜ。
http://otabeya.com/
https://twitter.com/studioTEAS

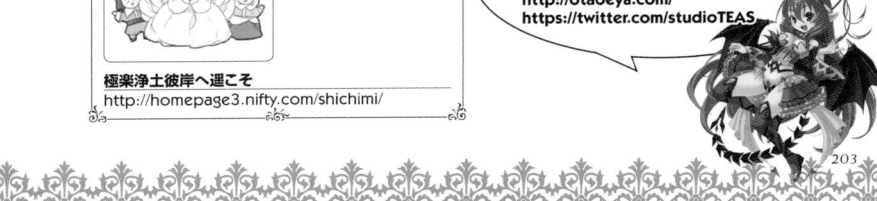

メシアちゃん争奪戦、最終ラウンド!

くそー、やっぱり四大天使の力はすげえなー。あのごんぶとOSHIOKI棒におびえて、メシアちゃん、ずいぶん悪い子パワーが抜けちまった。
おし、今度こそ決めてみせるぜ。地獄のスペシャル堕落ツアーにご招待だ!

待つのです! まだ天使のターンは終わっていないのですよ!
次は四大天使のみなさんといく天界コンサートで、メシアちゃん様の魂を浄化して、一気に光ポイントを荒稼ぎなのですっ!

なにおー!!

(ふたりの手をがっしと握り)
あーもう、ケンカはやめるのだー!
ケンカなんかしてもつまんないのだ……むにゃむにゃ(すぴーすぴー)

ありゃ……寝ちゃったか。たくさん勉強したもんなー。
……なあハニャ天、思ったんだけどさ、メシアちゃんはまだ、救世主じゃなくてもいいよな? たくさん友達作ってたくさん遊んだほうがいいと思うんだ。

……そうですね。子供は遊ぶのがいちばんです。どちらのメシアになるか決めるのは、大人になってからでも遅くないのですよ。
グレム、メシアちゃんが大人になったころにまた会いましょうね♪

それじゃあまたね(な)! バイバイ♪

参考資料

『The Book of the Thousand and One Nights Vol 4』J.C. Mardrus、E.P. Mathers 編（Routledge）
『悪魔の事典』フレッド・ゲティングズ 著／大瀧啓裕 訳（青土社）
『イスラーム』蒲生礼一 著（岩波新書）
『イスラーム事典』黒田壽郎 編（東京堂出版）
『イスラム教 改訂新版』マシュウ・S・ゴードン 著／奥西峻介 訳（青土社）
『岩波 イスラーム辞典』大塚和夫、小杉泰、小松久男、東長靖、羽田正、山内昌之 編（岩波書店）
『ヴィジュアル版 天国と地獄の百科 天使 悪魔 幻視者』ジョルダーノ・ベルティ 著／竹山博英、柱本元彦 訳（原書房）
『エドガー・ケイシーのすべて』（サンマーク出版）
『黄金伝説1』ヤコブス・デ・ウォラギネ 著／前田敬作、今村孝 訳（平凡社）
『黄金伝説2』ヤコブス・デ・ウォラギネ 著／前田敬作、山口裕 訳（平凡社）
『黄金伝説3』ヤコブス・デ・ウォラギネ 著／前田敬作、西井武 訳（平凡社）
『黄金伝説4』ヤコブス・デ・ウォラギネ 著／前田敬作、山中知子 訳（平凡社）
『九州キリシタン 新風土記』濱名志松 著（葦書房）
『キリシタン書 排耶書 日本思想大系25』海老沢有道、H・チーリスク、土井忠生、大塚光信 校注（岩波書店）
『キリスト教シンボル事典』ミシェル・フイエ 著／武藤剛史 訳（文庫クセジュ）
『グノーシス』筒井賢治 著（講談社選書メチエ）
『グノーシスとはなにか』マドレーヌ・スコペロ 著／入江良平、中野千恵美 訳（せりか書房）
『グノーシスの神話』大貫隆 訳著（岩波書店）
『ケルトの聖書物語』松岡利次 編訳（岩波書店）
『コーラン 上中下』井筒俊彦 訳（岩波文庫）
『古代から現代まで究極の魔術を求めた人々 魔術師大全』森下一仁 著（双葉社）
『古代ユダヤ教事典』長塚專三 著（教文館）
『失楽園 上下』ミルトン 作／平井正穂 訳（岩波文庫）
『神学大全 XLIV III 79-83』トマス・アクィナス 著／稲垣良典 訳（創文社）
『神曲 完全版』ダンテ 著／平川祐弘 訳（河出書房新社）
『図説 キリスト教聖人文化事典』マルコム・デイ 著／神保のぞみ 訳
『図説 古代密儀宗教』ジョスリン・ゴドウィン 著／吉村正和 訳（平凡社）
『図説 天使百科事典』ローズマリ・エレン・グィリー 著／大出健 訳（原書房）
『図説天使と精霊の事典』ローズマリ・エレン・グィリー 著／大出健 訳（原書房）
『聖者の事典』エリザベス・ハラム 著／鏡リュウジ、佐和通 訳（柏書房）
『聖書外典偽典1 旧約外典I』日本聖書学研究所 編（教文館）
『聖書外典偽典2 旧約外典II』日本聖書学研究所 編（教文館）
『聖書外典偽典3 旧約偽典I』日本聖書学研究所 編（教文館）
『聖書外典偽典4 旧約偽典II』日本聖書学研究所 編（教文館）
『聖書外典偽典5 旧約偽典III』日本聖書学研究所 編（教文館）
『聖書外典偽典6 新約外典I』日本聖書学研究所 編（教文館）
『聖書外典偽典7 新約外典II』日本聖書学研究所 編（教文館）
『聖書外典偽典別巻 補遺I』日本聖書学研究所 編（教文館）
『世界で最も危険な書物 – グリモワールの歴史』オーウェン・デイビーズ 著／宇佐和通 訳（柏書房）
『世界の宗教と経典・総解説』（自由国民社）
『ゾロアスターの神秘思想』岡田明憲 著（講談社現代新書）
『ゾロアスター教 ＜シリーズ世界の宗教＞』P・R・ハーツ 著／奥西峻介 訳（青土社）
『ゾロアスター教 三五〇〇年の歴史』メアリー・ボイス 著／山本由美子 訳（講談社学術文庫）
『ゾロアスター教』青木健 著（講談社選書メチエ）
『ゾロアスター教の悪魔払い』岡田明憲 著（平河出版社）
『ゾロアスター教 – 神々への賛歌 –』岡田明憲 著（平河出版社）
『ダンテ『神曲』講義』平川祐弘 著（河出書房新社）
『中性思想原典集成3 後期ギリシア教父・ビザンティン思想』上智大学中世思想研究所、大森正樹 編訳・監修（平凡社）
『天国と地獄の事典』ミリアム・ヴァン・スコット 著／奥山倫明 日本語版監修（原書房）
『天国の歴史』コーリン・マクダネル、バーンハード・ラング 著／大熊昭信 訳（大修館書店）
『天使はなにか』フィリップ・フォール 著／片木智年 訳（せりか書房）
『天使の事典 – バビロニアから現代まで』ジョン・ロナー 著／鏡リュウジ、宇佐和通 訳（柏書房）
『天使の世界（新装版）』マルコム・ゴドウィン 著／大瀧啓裕 訳（原書房）
『天使の博物誌』デイヴィット・コノリー 著／佐川和茂、佐川愛子 訳（三交社）
『天使の文化図鑑』ヘルベルト・フォアグリムラー、ウルズラ・ベルナウアー、トーマス・シュテレンベルク 著／上田浩二、渡辺真理 訳（東洋書林）
『天使事典』グスタフ・デイヴィットスン 著／吉永進一 監訳（創元社）
『天使伝説』パオラ・ジオベッティ 著／鏡リュウジ 訳（柏書房）
『同志社大学一神教学際研究センター CISMOR VOICE 15号』（一神教学際研究センター）
『別冊 環8「オリエント」とは何か – 東西の区分を超える –』（藤原書店）
『ペルシア神話』ジョン・R・ヒネルズ 著／井本英一、奥西峻介 訳（青土社）
『法の書』アレイスター・クロウザー 著／島弘之、植松靖夫 訳／江口之隆、亀井勝行 解説（国書刊行会）
『魔術の歴史』リチャード・キャヴェンディッシュ 著／栂正行 訳（河出書房新社）
『モルモン書 イエス・キリストについてのもう一つの証』（末日聖徒イエス・キリスト教会）
『ユダヤ教 改訂新版』マルサ・モリスン、スティーヴン・F・ブラウン 著／秦剛平 訳（青土社）

『日本ムスリム協会発行 日亜対訳・注解 聖クルアーン（第六刷）』
http://www2.dokidoki.ne.jp/racket/koran_frame.html

天使索引

項目名	分類	ページ数
アータル	天使	127
アールマティ	天使	127
『アヴェスタ』	聖典・宗教文書	112、113、122、197
アエーシュマ	悪魔	122
アグリッパ	人物	46
アサリア	天使	130、136
アシ	天使	110
アシャ・ワヒシュタ	天使	127
アスタロト	悪魔	48
アスタンファエウス	天使	85
『アダムとエバの生涯』	聖典・宗教文書	62
アダム	聖書の人物	24、26、40、52、62、85、86、93、104、128、138、150、152、186
『アダムの誓約』	聖典・宗教文書	152
アダメル	天使	62
アッラー	その他超常存在	17、96
アナーヒター	天使	110、112
アナフィエル	天使	66
アパオシャ	悪魔	118
アハブ	人物	38
アフ	天使	144
アブディエル	天使	128
アフラ・マズダ	その他超常存在	106、108、110、112、113、116、120、127、189、193
アブラハム	人物	24、46、84、90、130、185、186、187、188、190、197
アムルタート	天使	127
アリエル	天使	128
アリオク	天使	128
オリフィエル	天使	39、195
アルコーン	天使	48、80、81、82、84、85、86、88
アルミサエル	天使	144
アルヤマン	天使	127
アレイスター・クロウリー	人物	140
アンラ・マンユ	その他超常存在	106
イアホエル	天使	144
イーサー	天使	98
イエス・キリスト	人物	17、20、38、76、78、80、88、90、90、113、132、148、153、158、163、166、168、186、187、196、197
イシュタル	その他超常存在	48
イシュマエル	人物	44
イズラーイール	天使	92、93、96、195
イズラーフィール	天使	92、96
イゼベル	人物	38
イルミネイター	天使	85
ヴィクター	天使	64
ウィクトーリア	その他超常存在	193
ウェルギリウス	人物	134
ウォフ・マナフ	天使	108
ウリエル	天使	27、28、30、39、40、42、44、58、92、144、195
ウリヤ	人物	30
ウルスラグナ	天使	127
ヴレティル	天使	72
英国国教会	宗派	168、197
エイワス	天使	140
エヴァ	聖書の人物	24、26、40、80、86、138、150、186
『エチオピア語エノク書』(第一エノク書)	聖典・宗教文書	16、22、27、28、33、39、42、44、74
エドガー・ケイシー	人物	136
エノク	人物	33、52
エフェメラエ	天使	72
エラタオル	天使	85
エリヤ	人物	33、38
『エレミヤ書』	聖典・宗教文書	30
エレレト	天使	85
『黄金伝説』	聖典・宗教文書	155、156
オファニム	天使	151
オリフィエル	天使	39、195
オロイアエル	天使	85
『ガーサー』	聖典・宗教文書	120
カトリック	宗派	16、20、24、26、27、28、54、80、132、156、165、167、168、195、196、197
ガブリエル	天使	20、22、27、30、32、68、74、92、148、150、157、188、195
ガマリエル	天使	85
カムエル	天使	39、195
カルサーイール	天使	104
カンヘル	天使	142
偽ディオニシウス	人物	39、46、90、148、152
ギリシャ正教	宗派	正教／オーソドックス参照
クシエル	天使	66
クシャスラ	天使	127
『クルアーン』	聖典・宗教文書	22、98、100、102、104、188、190
グレゴリウス	人物	39、154、195
ケムエル	天使	58、85
ケルビエル	天使	56、155
権天使／プリンシパリティーズ	天使	48、155、156、157
ザカリアス	人物	42
ザカリエル	天使	39、195
ザカリル	天使	39、195
ザグザゲル	天使	68
サタン	悪魔	16、17、36、54、80、86、128、149
座天使／スローンズ	天使	52、70、151
ザドキエル	天使	46、152、195
ザバーニーヤ	天使	100
サバオト	天使	85
サマエル	天使	32、36、86、154
『サムエル記』	聖典・宗教文書	150
サリエル	天使	44
サンダルフォン	天使	33、36、38
シェパード	天使	39
シェマンフォラス	天使	130、136
『死海文書』	聖典・宗教文書	44
『失楽園』	文学作品	26、40、128、144、167
『失楽園』	文学作品	24、128、144、167
熾天使／ケルビム	天使	17、56、72、144、149、151
熾天使／セラフィム	天使	72、148、149、151、193
シドリエル	天使	39
シナニム	天使	46
『シビュラの託宣』	聖典・宗教文書	28、30
ジブリール	天使	ガブリエル参照
シミエル	天使	39、195
シミエル	天使	39、195
シャカクィエル	天使	39
シャムシェル	天使	144
守護天使	天使	16、22、74、157、194
じゅすへる	天使	138
主天使／ドミニオンズ	天使	39、46、152
ジョセフ・スミス・ジュニア	人物	132
ジョン・ミルトン	人物	26、144、167
シリン	天使	144
『神曲』	文学作品	134、160～167
『申命記』	聖典・宗教文書	187
スプンタ・マンユ	天使	106、108
スラオシャ	天使	118、120、122
『スラブ語エノク書』(第二エノク書)	聖典・宗教文書	33、42、62、90
スリア	天使	70

項目	分類	ページ
正教／オーソドックス	宗派	17、26、144、165、167、197
聖ヒッポリュトス	人物	88
『セベル・ハヘロト』	聖典・宗教文書	70
ゼラキエル	天使	39、195
ゼラキエル	天使	39、195
『全異端反駁』	聖典・宗教文書	88
『創世記』	聖典・宗教文書	26、27、30、33、46、86、88、128、167、186、187、196
『ゾーハル』	聖典・宗教文書	58、70
ソフィア	天使	72、82、84、86
ソフィエル	天使	144
ゾロアスター	人物	106、108、116、120
ソロモン王	人物	39、52、92
大天使／アークエンジェル	天使	156
ダヴェイテ	天使	85
ダブリエル	天使	72
『タルムード』	聖典・宗教文書	32、72、74、144、187、194
ダンテ・アリギエーリ	人物	134、160、166
智天使／ケルビム	天使	17、56、72、144、150、151
『チラム・バラムの予言』	聖典・宗教文書	142
ティシュトリヤ	天使	118
デミウルゴス（ヤルダバオト）	天使	80、81、82、84、85、86
デュナミス	天使	72
天使／エンジェル	天使	157
『天上位階論』	その他文書	90、148、152、156、157
『天地始之事』	聖典・宗教文書	138
ドゥビエル	天使	74
『トーラー』	聖典・宗教文書	187
トビア	聖書の人物	26
『トビト記』	聖典・宗教文書	24、26
トマス・アクィナス	人物	194
ドミエル	天使	85
ナウタ	天使	144
ナキール	天使	102、191
『ナグ・ハマディ文書』	聖典・宗教文書	85、88
ナサルギエル	天使	68
にがよもぎ	天使	54、76
ニケ	その他超常存在	193
ネフタ	天使	93
ノア	人物	28、33、39、52、90
能天使／パワー	天使	58、153、154
バアル	その他超常存在	30、38、62
ハールート	天使	104
パウロ	人物	54
ハオマ	天使	116
ハスマリム	天使	46
ハドラニエル	天使	37、68
ハニエル	天使	48、155
ハファザ	天使	104
バラディエル	天使	39
ハラリエル	天使	136
『バルク黙示録』	聖典・宗教文書	40
『バルトロマイの福音書』	聖典・宗教文書	144
ハルモジ	天使	85
ハルワタート	天使	127
ファヌエル	天使	27、40
ファヌエル	天使	27、40
プット	天使	56、150
プトレマイオス	人物	82
プラーク	天使	104
プラヴィル	天使	72
プラヴィル	天使	39
フラワシ	天使	110、189、194
プロテスタント	宗派	26、167、168、197
プロノイア	天使	85
プロパトール	その他超常存在	82
フワル・クシャエータ	天使	127
ベアトリーチェ	天使	134
ベツレヘムの星	天使	76、78
『ペテロの黙示録』	聖典・宗教文書	28、166
『ヘブライ語エノク書』（第三エノク書）	聖典・宗教文書	32、33、39、56、65、66、72
ヘマー	天使	144
ベルゼブブ	悪魔	62
『ヘルマスの牧者』	聖典・宗教文書	39
ヘルメシエル	天使	62
ヘルメス	その他超常存在	62
ヘロデ	人物	76
『法の書』	その他文書	140
ホルス	その他超常存在	140
マーリク	天使	100
マールート	天使	104
マグレガー・メイザース	人物	36
『マタイによる福音書』	聖典・宗教文書	76
マライカ	天使	192
マラク	天使	192
マリア（聖母マリア）	人物	20、22、56、124
マルヤム	人物	98
ミーカール	天使	ミカエル参照
ミカエル	天使	16、17、22、27、30、32、36、46、68、72、74、86、90、92、124、128、144、149、150、153、156、192、195
『ミカ書』	聖典・宗教文書	76
ミスラ	天使	112、113、122、127
ミューズ	その他超常存在	134
『民数記』	聖典・宗教文書	149、187
ムハンマド	人物	22、92、93、98、102、104、188、195、196
ムンカル	天使	102、191
メタトロン	天使	32、33、36、38、52、62、66、72、113、156
メルキゼデク	天使	88、90
モーセ	人物	36、58、68、70、86、93、144、187
『モーセの黙示録』	聖典・宗教文書	58
モロナイ	天使	132
モンスの天使	天使	124、126
ヤコブ	人物	24、27、30、161
ヤザタ	天使	110、112、129、189
ヤハウェ（YHWH）	その他超常存在	10、17、30、38、46、56、66、82、84、88、144、190、197
『ヨセフの祈り』	聖典・宗教文書	30
『ヨハネによる福音書』	聖典・宗教文書	38
『ヨハネの黙示録』	聖典・宗教文書	16、42、54、166
ヨフィエル	天使	39、195
『ヨベル書』	聖典・宗教文書	144
ライラ	天使	60
ラグエル	天使	42、44、58、195
ラジエル	天使	52、150、151
ラシュヌ	天使	122
ラドゥエリエル	天使	62、72
ラファエル	天使	24、26、27、42、44、92、130、153、195
力天使／ヴァーチューズ	天使	48、90、130、153
リドワン	天使	104
ルイズ・ギンズバーグ	人物	30
ルシファー	悪魔	42、138、144、162、163
ルミナリエス	天使	85
レヴィヤタン	その他超常存在	144
『歴代記』	聖典・宗教文書	38
レハビアー	天使	144
レミエル	天使	40、195
『レメゲトン』	その他文書	39
ロシア正教	宗派	正教／オーソドックス参照

萌える!天使事典

2012年8月31日 初版発行
2014年4月30日 2刷発行

著者　　TEAS事務所
発行人　松下大介
発行所　株式会社 ホビージャパン
　　　　〒151-0053　東京都渋谷区代々木2-15-8
電話　　03 (5304) 7602 (編集)
　　　　03 (5304) 9112 (営業)

印刷所　大日本印刷株式会社

乱丁・落丁(本のページの順序の間違いや抜け落ち)は購入された店舗
名を明記して当社パブリッシングサービス課までお送りください。
送料は当社負担でお取り替えいたします。
但し、古書店で購入したものについてはお取り替えできません。

禁無断転載・複製

© TEAS Jimusho 2012
Printed in Japan
ISBN978-4-7986-0449-7 C0076